Aspekte|neu

Mittelstufe Deutsch

Lehr- und Arbeitsbuch, Teil 1

von
Ute Koithan
Helen Schmitz
Tanja Sieber
Ralf Sonntag

Filmseiten von Ulrike Moritz und Nana Ochmann

Ernst Klett Sprachen

Stuttgart

Von: Ute Koithan, Helen Schmitz, Tanja Sieber, Ralf Sonntag
Filmseiten von: Ulrike Moritz, Nana Ochmann

Redaktion: Annerose Bergmann und Cornelia Rademacher
Layout: Andrea Pfeifer
Umschlaggestaltung: Studio Schübel, München (Foto Treppe: drsg98 – Fotolia.com; Foto Grashalm: Eiskönig – Fotolia.com)
Zeichnungen: Daniela Kohl

Verlag und Autoren danken Harald Bluhm, Ulrike Moritz und Margret Rodi für die Begutachtung sowie allen Kolleginnen und Kollegen, die *Aspekte | neu* erprobt und mit wertvollen Anregungen zur Entwicklung des Lehrwerks beigetragen haben.

Symbole in Aspekte

 Hören Sie auf der CD 1 zum Lehrbuch Track 2.

 Hören Sie auf der CD zum Arbeitsbuch Track 2.

▶ Ü 1 Hierzu gibt es eine Übung im gleichen Modul im Arbeitsbuch.

 Rechercheaufgabe

 Zu dieser Übung finden Sie die Lösung im Anhang.

Aspekte | neu 1 – Materialien	
Lehrbuch mit DVD	605015
Lehrbuch	605016
Audio-CDs zum Lehrbuch	605020
Arbeitsbuch mit Audio-CD	605017
Lehr- und Arbeitsbuch 1 mit Audio-CD, Teil 1	605018
Lehr- und Arbeitsbuch 1 mit Audio-CD, Teil 2	605019
Lehrerhandbuch mit digitaler Medien-DVD-ROM	605021
Intensivtrainer	605022

www.aspekte.biz
www.klett-sprachen.de/aspekte-neu

Die Audio-CD zum Arbeitsbuch finden Sie als mp3-Download unter www.aspekte.biz im Bereich „Medien". Der Zugangscode lautet: aS4g!M2

In einigen Ländern ist es nicht erlaubt, in das Kursbuch hineinzuschreiben. Wir weisen darauf hin, dass die in den Arbeitsanweisungen formulierten Schreibaufforderungen immer auch im separaten Schulheft erledigt werden können.

1. Auflage   1 8 7 | 2019 18 17

© Ernst Klett Sprachen GmbH, Stuttgart, 2017
Erstausgabe erschienen 2014 bei Klett-Langenscheidt GmbH, München

Satz und Repro: Satzkasten, Stuttgart
Gesamtherstellung: Print Consult GmbH, München

ISBN 978-3-12-605018-0

FSC® C084279
MIX
Papier aus verantwortungsvollen Quellen

Inhalt

Leute heute 1

Arbeitsbuchteil

Inhalt

Wohnwelten 2

Arbeitsbuchteil

Wie geht's denn so? 3

Arbeitsbuchteil

Inhalt

Alles will gelernt sein

Arbeitsbuchteil

Leute heute

sie liebe Berlin

B Ich bin Berlinerin, ganz klar. Hier leben Menschen aus allen Ecken der Welt und das lässt alle Lebensstile zu. Hier fühle ich mich einfach wohl, das ist meine Heimat. Wenn ich woanders bin, vermisse ich Berlin immer. Trotzdem ...

Berlin

A Ich bin seit drei Jahren geschieden und alleinerziehende Mutter einer kleinen Tochter. Sie heißt Klara und ist vier Jahre alt. Manchmal ...

Sie lernen

Modul 1 | Einen Text über Lebensträume verschiedener Personen verstehen

Modul 2 | Einen Radiobeitrag über Freundschaft verstehen

Modul 3 | Eine besondere Person präsentieren

Modul 4 | Über Glück diskutieren

Modul 4 | In einer E-Mail Freude ausdrücken und gratulieren

Grammatik

Modul 1 | Tempusformen: Über Vergangenes sprechen

Modul 3 | Verben und Ergänzungen

umziehen

C Ich bin in einer Kleinstadt in Norddeutschland aufgewachsen. Dann habe ich viele Jahre in Herne gelebt und gearbeitet. Vor zwei Jahren bin ich wegen einer neuen Stelle nach Wien gekommen. Ich wohne in einem Apartmentkomplex mit lauter kleinen Wohnungen. Vielleicht ...

E Im Sommer gehe ich gern schwimmen, im Winter spiele ich oft mit Freunden Eishockey auf einem kleinen See bei mir um die Ecke. Meine größte Leidenschaft ist aber Fußball. Mein Herz schlägt für Borussia Dortmund. Ich gehe fast jedes Wochenende ins Stadion. Das ist einfach ein tolles Erlebnis. Wenn ...

liebe Fußball

D Zu Hause sprechen wir nur Arabisch. Allerdings bin ich in Deutschland geboren und habe so eigentlich zwei Muttersprachen. In der Schule habe ich noch Englisch und ein bisschen Französisch gelernt. Mehrere Sprachen zu können, ist toll. Und ...

viele Sprachen

er ist glücklich

F Nach der Schule habe ich eine Ausbildung als Schornsteinfeger gemacht. Ich arbeite in einem kleinen Betrieb. Die Arbeit finde ich super. Die meisten Leute freuen sich, mich zu sehen, weil sie immer noch glauben, dass ein Schornsteinfeger Glück bringt. Aber ...

1a Lesen Sie die Kurztexte. Über welche Themen sprechen die Leute? Notieren Sie.

    A: *Familie*
    B: ...

  b Arbeiten Sie in Gruppen. Jede Gruppe wählt einen Text aus, schreibt ihn zu Ende und stellt „ihre Person" vor.

2 Stellen Sie sich vor. Sagen Sie zu jedem Thema aus 1a einige Sätze über sich selbst.

Gelebte Träume

1 Was bedeutet dieser Spruch? Diskutieren Sie: Ist das möglich?

Träume nicht dein Leben – Lebe deinen Traum!

2 Sehen Sie sich die Fotos an. Um welche Träume könnte es hier gehen?

▶ Ü 1

3a Lesen Sie den Artikel und notieren Sie Stichpunkte in eine Tabelle wie auf der nächsten Seite.

Gelebte Träume

Der eine hat einen großen Traum, der nächste vielleicht mehrere kleine. Die Träume der Menschen sind so unterschiedlich wie die Menschen selbst. Manche sind realistisch und manche scheinen vielleicht völlig unerreichbar. Es gibt Menschen, die trotzdem nicht aufgeben. Und plötzlich ist der Lebenstraum ganz nah ...

Erfolgreich sein als Sängerin, einmal die Nummer eins in den Charts und Millionen Klicks für den eigenen Musikclip im Internet – davon träumte die 23-jährige Leonie Walter schon als Teenager. Sie nahm Gesangs- und Tanzunterricht und vor ein paar Jahren sah es aus, als würde sich ihr Traum auch erfüllen. Leonie nahm an einer Castingshow teil und kam in die vom Fernsehsender zusammengestellte Band. Auf einmal war sie berühmt. Die Band brachte ein Album heraus und die drei jungen Sängerinnen galten als neue Stars am deutschen Pophimmel. Doch der Anfangseuphorie folgte bald die Ernüchterung: Das zweite Album verkaufte sich nur noch mäßig, die Auftritte wurden immer weniger, schließlich trennte sich die Band. Im Moment verdient Leonie ihren Lebensunterhalt in einem Coffee Shop. „Meinen Traum habe ich aber trotzdem noch nicht aufgegeben. Ich versuche es einfach weiter. Eine neue Band habe ich auch schon", sagt sie.

Der 44-jährige Georg Schröder wuchs in einem kleinen Dorf bei Innsbruck auf. Seine Eltern wollten aus ihm einen Lehrer machen – doch er träumte von der großen weiten Welt. Nach der Matura hatte er zunächst Geschichte und Völkerkunde studiert doch dann begann er mit seinen Expeditionen und verwirklichte seinen Traum, die Wüsten dieser Erde kennenzulernen. „Ich habe viele Landschaften ausprobiert'. Aber es war die Wüste, die mich vom ersten Schritt an gefangen genommen hat", berichtet Schröder, der heute als Experte für Abenteuer und Grenzerfahrungen gilt.

Profifußballer – das wollte der 38-jährige Matthias Holzner immer werden. Als Kind und Jugendlicher verbrachte er jede freie Minute auf dem Fußballplatz. Er trainierte und trainierte. Und tatsächlich konnte er mit 16 Jahren zu einem großen Verein wechseln. Für ein paar Jahre lief alles wie geplant. Aber ein Nachmittag änderte alles: Nachdem sich Matthias schwer am Knie verletzt hatte, musste er den Traum von der Profikarriere schweren Herzens aufgeben. „Das war eine schwierige Zeit, aber mit der Unterstützung meiner Familie habe ich meinen Weg gefunden." Matthias machte eine Ausbildung zum Physiotherapeuten und eröffnete später eine eigene Praxis. „Aber die Liebe zum Fußball habe ich nie verloren. In meiner Freizeit trainiere ich eine Kindermannschaft und samstags gehe ich ins Stadion, um meinen alten Verein anzufeuern."

Wer?	Traum?	Situation früher?	Situation jetzt?
Leonie	Sängerin werden	nahm Gesangs- und Tanzunterricht	Arbeitet in eine Coffe shop
Georg	der Ganz welt reisen	Seine Eltern wollten ihm einen Lehrer machen	arbeitet als Experte für Abenteuer und Grenzer trainiere eine Kinder-
Matthias	Pro tifußballer	Knie verletzt hatte	mannschaft und geht ins stadion

b Arbeiten Sie zu dritt. Jeder stellt anhand der Stichpunkte eine Person vor.

c Welche Person finden Sie am interessantesten? Warum?

4a Mit den folgenden Zeitformen kann man Vergangenes ausdrücken. Notieren Sie zu jeder Zeitform einen Beispielsatz aus dem Text.

When do you use this?

Perfekt	Präteritum	Plusquamperfekt
		Nachdem sich Matthias schwer am Knie verletzt hatte, musste er den Traum von der Profikarriere schweren Herzens aufgeben.

b Wann verwendet man welche Zeitform? Ergänzen Sie die Regeln.

G

Über Vergangenes berichten

1. mündlich berichten: meistens _Perfekt_

2. schriftlich berichten:

   z. B. in E-Mails/Briefen: meistens *Perfekt*

   z. B. in Zeitungsartikeln/Romanen: meistens _Präteritum_

3. *haben* und *sein* / Modalverben: meistens _Präteritum_

4. von einem Ereignis berichten, das vor einem anderen Ereignis in der Vergangenheit passiert ist: _Plusquamperfekt_

▶ Ü 2–4

5 Welchen Traum haben Sie sich schon erfüllt?
Welche Träume hatten Sie als Kind?
Was ist jetzt Ihr großer Traum?
Sprechen Sie zu zweit und berichten Sie
dann im Kurs über den Traum
Ihres Partners / Ihrer Partnerin.

Ismail hat schon als Kind davon geträumt, einmal nach Nepal zu reisen. Er wollte schon immer …

Rita wollte unbedingt … Nachdem sie ihre Ausbildung beendet hatte, …

Paolas großer Traum ist …

In aller Freundschaft

1a Welche Aussage passt für Sie am besten zum Thema „Freundschaft"? Warum?

> Gute Freunde erkennt man in schwierigen Zeiten.

> Beim Geld hört die Freundschaft auf.

> Eine Freundschaft mit zwanzig ist anders als eine Freundschaft mit vierzig.

> Richtig gute Freunde hat man nur zwei oder drei.

> Heutzutage ist unser Leben so stressig, dass man kaum noch Freundschaften pflegen kann.

> Das Internet ist super, um neue Freunde zu finden und mit alten in Kontakt zu bleiben.

Ich kenne viele Leute, aber ich habe nur zwei richtig enge Freunde, denen ich wirklich alles erzählen kann. Deshalb …

b Welche **Eigenschaften** sind Ihnen bei einem Freund / einer Freundin wichtig?
Kreuzen Sie fünf Eigenschaften an und vergleichen Sie im Kurs.

☑ zuverlässig	☑ witzig	☐ gebildet	☐ unternehmungslustig
☑ ehrlich	☐ großzügig	☐ tolerant	☐ verständnisvoll
☑ hilfsbereit	☐ verantwortungsbewusst	☑ offen	☐ verschwiegen
☐ höflich	☑ sportlich	☐ ehrgeizig	☑ loyal
☐ gut aussehend			

Für mich ist es wichtig, dass meine Freunde zuverlässig sind. Als ich einmal die Hilfe von einer Freundin gebraucht habe, hat sie …
Meine Freunde müssen witzig sein. Ohne Humor ist alles …

▶ Ü 1–2

2a Hören Sie den ersten Abschnitt eines Radiobeitrags. In welcher Reihenfolge wird über die folgenden Themen gesprochen? Nummerieren Sie.

_3_ Freunde für bestimmte Phasen/Aktivitäten → wichtig für deine Freizeit, man kann die gleich dinge machen

_1_ Warum Freunde wichtig sind → für support , unterstützung

_4_ Freunde in Online-Netzwerken → man kann keep in contact

_2_ Unterscheidung Freunde und Bekannte
difference (=well known)

b Wählen Sie ein Thema aus 2a und berichten Sie kurz über Ihre Erfahrungen.

c Im zweiten Abschnitt sprechen drei Personen über Freundschaft. Hören Sie und lösen Sie die Aufgaben.

Mira: Sind die Aussagen richtig oder falsch? Kreuzen Sie an.

	richtig	falsch
1. Mira hat ihre beste Freundin in der ~~Ausbildung~~ grundschule kennengelernt.	☐	☒
2. Mit ihrer besten Freundin kann Mira über alles sprechen.	☒	☐
3. In einer guten Freundschaft sollte man nicht streiten.	☐	☒
4. Mira und Laura können sich nicht oft sehen, skypen aber häufig.	☒	☐

Felix: Beantworten Sie die Fragen.

5. Warum ist für Felix das Internet wichtig? Soziales - Network → facebook
6. Wo hat Felix seine drei engsten Freunde kennengelernt? Kindheit, Uni, spielt volleyball
7. Worauf kommt es ihm in einer Freundschaft an? hilfsbereit

Julia: Notieren Sie die passenden Nomen.

8. Für Julia sind in einer Freundschaft

Respekt , tolerance ,

Vertrauen und ehrlichkeit

besonders wichtig.

SPRACHE IM ALLTAG

ein Freund / **eine** Freundin **von mir**

mein Freund /
meine Freundin

3a Wie können Sie Ihre Meinung sagen? Sammeln Sie Redemittel im Kurs.

Ich denke, …
Ich bin der Meinung, …
_…_

b Diskutieren Sie in Gruppen. Informieren Sie danach die anderen Gruppen über Ihre Ergebnisse:

- Welche Rolle spielt Freundschaft heutzutage? nowadays
- Was kann in Freundschaften zu Problemen führen?
- Liebe – Freundschaft – Familie – Beruf: Was steht für Sie an erster Stelle und warum?

4 Suchen Sie Sprichwörter, Redewendungen oder Reime auf Deutsch oder in Ihrer Sprache zum Thema „Freundschaft" und erklären Sie sie im Kurs.

▶ Ü 3

Heldenhaft

1a Was verstehen Sie unter einem Helden? Wen würden Sie als Held bezeichnen? Warum?

▶ Ü 1   *Ein Held ist für mich ein Mensch, der versucht, die Welt zu verbessern, wie zum Beispiel …*

1.6–8

b Hören Sie eine Umfrage. Notieren Sie, wer als Held bezeichnet wird und warum.

Ein Held ist für mich …	Gründe
1. Ghandi / Einstein	endeckung oder helfen andere menschen
2.	
3.	

c Kennen Sie diese Menschen? Ordnen Sie die Namen den Fotos zu und erklären Sie mithilfe der Stichpunkte, warum man die Personen als Helden bezeichnen kann.

1. Jurij Gagarin   2. Mutter Theresa   3. Marie Curie   4. Martin Luther King

erster Mann im Weltraum sein – den Ärmsten der Armen helfen – gegen Rassismus kämpfen –
1911 den Nobelpreis für Chemie bekommen – sich für die Gleichstellung der Afroamerikaner einsetzen –
radioaktive Elemente entdecken – sich in den Armenvierteln um Leprakranke kümmern –
in 89 Minuten einmal die Erde umkreisen – …

▶ Ü 2   *Jurij Gagarin war der erste Mann im Weltraum.*

2a Lesen Sie die beiden Texte. Warum können die Personen als „Helden im Alltag" bezeichnet werden?

„Ich habe den beiden einfach nur geholfen", fasst Henry Sommer aus Dresden seinen Einsatz zusammen, als er den vierjährigen Lukas und dessen Mutter vor dem Ertrinken aus der Elbe rettete. Die Ereignisse an diesem Tag im letzten Sommer gehen ihm immer noch sehr nahe. Er sah, wie ein Junge, der am Ufer spielte, plötzlich ins Wasser fiel und unterging. Die Mutter sprang sofort ins Wasser, doch ihr gelang die Rettung ihres Sohnes nicht. Sie kämpfte selbst mit der starken Strömung und rief laut um Hilfe. Henry Sommer sprang, ohne zu überlegen, in die Elbe, konnte den Jungen unter Wasser fassen und versuchte, ihn und auch seine Mutter herauszuziehen. Mit letzter Kraft erreichte er mit den beiden das Ufer und begann sofort mit den lebensrettenden Maßnahmen. Nur dadurch konnte Lukas überleben. Der Gedanke, was passiert wäre, wenn er es nicht geschafft hätte, lässt Henry Sommer bis heute nicht mehr los.

Henry Sommer, 35 und Lukas, 4

Seit ca. 15 Jahren bin ich ehrenamtlich in der Bahnhofsmission tätig. Ich helfe zum Beispiel kranken und behinderten Reisenden beim Umsteigen. Viele sind sehr dankbar, wenn man ihnen ihre weitere Reiseverbindung erklärt und sie zu ihrem Zug begleitet. In der Bahnhofsmission kochen wir auch Kaffee und Tee und machen belegte Brote. Die Leute, die zu uns kommen, freuen sich gerade im Winter über einen warmen Ort und ein bisschen Smalltalk. Mir gefällt die Arbeit in der Bahnhofsmission, weil sie so abwechslungsreich ist. Man trifft verschiedene Leute mit ganz unterschiedlichen Biografien. Ich interessiere mich für meine Mitmenschen und setze mich gerne für sie ein.

Angelika Fischer, 46

b **Verben und Ergänzungen. Ordnen Sie die Sätze in die Tabelle und notieren Sie den Infinitiv.**

> Ich erkläre ihnen ihre weitere Reiseverbindung.   Er begann mit den lebensrettenden Maßnahmen.
>
> Ich helfe kranken und behinderten Reisenden.   Die Leute freuen sich über einen warmen Ort.
>
> ~~Der Junge ging unter.~~   Er rettete einen vierjährigen Jungen.

	Beispielsatz	Infinitiv
1. Verb + Nominativ	*Der Junge ging unter.*	*untergehen*
2. Verb + Akkusativ		
3. Verb + Dativ		
4. Verb + Dativ + Akkusativ		
5. Verb + Präposition + Akkusativ		
6. Verb + Präposition + Dativ		

▶ Ü 3–9

c **Sammeln Sie weitere Verben mit Beispielsatz und machen Sie Kursplakate für jede Verbart.**

> **Verben + Dativ**
> **gehören:** Das Buch gehört _mir_.
> **schmecken:** Das Essen schmeckt _mir_.

 3a **Schreiben Sie einen Text über eine Person, die man Ihrer Meinung nach als Held bezeichnen könnte.**

HERKUNFT/BIOGRAFISCHES	LEISTUNGEN
Ich möchte gern … vorstellen.	Er/Sie wurde bekannt, weil …
Er/Sie kommt aus … und wurde … geboren.	Er/Sie entdeckte/erforschte/untersuchte …
Er/Sie lebte in …	Er/Sie experimentierte/arbeitete mit …
Von Beruf war er/sie …	Er/Sie schrieb/formulierte/erklärte …
Seine/Ihre Eltern waren …	Er/Sie kämpfte für/gegen …
Er/Sie kam aus einer … Familie.	Er/Sie engagierte sich für … / setzte sich für … ein.
	Er/Sie rettete/organisierte/gründete …

b **Hängen Sie die Texte im Kurs aus. Welche Person finden Sie am interessantesten?**

Vom Glücklichsein

1a Welche Symbole bedeuten für Sie Glück, welche Unglück? Wählen Sie aus.

Rabe

Vierblättriges Kleeblatt

Schornsteinfeger

Die Zahl 13

Hufeisen

Sternschnuppe

Schwarze Katze

Hand der Fatima

Winkekatze

Chinesischer Drache

Marzipanschwein

Schwarze Spinne

▶ Ü 1 **b** Welche Symbole, Zahlen, Buchstaben sind in Ihrem Land Glücks- oder Unglückssymbole?

2a Welche dieser fünf Wörter gehören für Sie zum Begriff „Glück"? Welche Wörter würden Sie noch ergänzen?

Reichtum	Frieden	Hobbys	Natur	Schönheit
Harmonie	Freiheit	Ruhe	Haus	Familie
Kinder	Arbeit	Entspannung	Freunde	Karriere

b Begründen Sie Ihre Auswahl und vergleichen Sie im Kurs.

Am wichtigsten ist für mich Gesundheit. Was will ich mit Geld, wenn ich krank bin?
Aber wenn du Geld hast, kannst du dir eine gute medizinische Behandlung leisten.

🔊 **3** Hören Sie fünf kurze Texte aus einer Umfrage zum Thema „Sind Sie zurzeit glücklich?".
1.9–13 Sie hören diese Texte nur einmal. Markieren Sie, ob die Aussagen richtig oder falsch sind.

	richtig	falsch
1. Die Sprecherin hat sich vor einem Jahr scheiden lassen.	☐	☐
2. Der Sprecher wollte nach der Schule endlich arbeiten.	☐	☐
3. Die Sprecherin hat einen Studienplatz in Berlin bekommen.	☐	☐
4. Der Sprecher möchte gerne eine Weiterbildung machen.	☐	☐
5. Die Sprecherin ist wegen ihres Alters unglücklich.	☐	☐

STRATEGIE

Komplexe Höraufgaben bearbeiten

Unterstreichen Sie beim Lesen der Aufgaben Schlüsselwörter. Versuchen Sie beim Hören, Übereinstimmungen oder Unterschiede zwischen den Schlüsselwörtern und dem Gehörten zu finden.

4a Ordnen Sie die Überschriften den Redemitteln zu.

widersprechen   zweifeln   zustimmen   Meinung äußern

1.	2.
Ich bin der Meinung/Ansicht, dass …	Der Meinung bin ich auch.
Ich stehe auf dem Standpunkt, dass …	Ich bin ganz deiner/Ihrer Meinung.
Ich denke/meine/glaube/finde, dass …	Das stimmt. / Das ist richtig. / Ja, genau.
Ich bin davon überzeugt, dass …	Da hast du / haben Sie völlig recht.
3.	**4.**
Das stimmt meiner Meinung nach nicht.	Also, ich weiß nicht …
Das ist nicht richtig.	Ich habe da so meine Zweifel.
Ich sehe das anders.	Ob das wirklich so ist?
Da muss ich dir/Ihnen aber widersprechen.	Stimmt das wirklich?

b Diskutieren Sie die Aussagen in Gruppen.

Glück hängt von der Qualität der Beziehungen eines Menschen ab.

Glück kommt nicht von außen (Reichtum, Bildung, Aussehen …), sondern von innen.

Die Erfüllung unserer Wünsche macht uns nicht dauerhaft glücklich.

Glück ist kein Zustand, Glück ist ein Prozess.

Was den einen glücklich macht, macht den anderen unglücklich.

5a Lesen Sie den Blogeintrag. Zu welchem Thema schreibt der Blogger?

13.2. | 19:32 Uhr
Ein herzliches Hallo in die Runde!
Ich möchte kurz über meine heutigen Erlebnisse schreiben, die zeigen, dass ein Tag wie dieser auch ganz anders enden kann als gedacht.
Normalerweise bin ich überhaupt kein abergläubischer Mensch. Deswegen hatte ich von diesem besonderen Datum auch gar keine Notiz genommen. Ich dachte, es wird ein Freitag wie immer. Aber schon der Morgen belehrte mich eines Besseren:
Nach einer unruhigen Nacht erwachte ich durch einen lauten Knall. Die Müllabfuhr holte wie jeden Freitagmorgen die Mülltonnen. Ich schaute auf die Uhr und machte einen Satz aus dem Bett. Ich hatte verschlafen! Um ganze 45 Minuten!!!
Beim Sprung aus dem Bett stieß ich das Glas Wasser von meinem Nachttisch. Mit nassen Füßen lief ich ins Bad und schimpfte. Ich dachte: „Jetzt bloß schnell Zähne putzen." Aber wie ohne Zahnpasta? Und natürlich war keine Ersatztube im Haus. Das musste dann mit Wasser gehen. Hemd und Hose hatte ich an – doch wo in aller Welt waren meine Strümpfe? Im Schrank fand ich sie nicht. Ach ja – sie waren in der Wäsche und die hing natürlich noch auf dem Balkon. Die Strümpfe waren noch nass. Wunderbar! Aber da musste ich jetzt wohl durch.
In der Küche angekommen griff ich nach der Kaffeekanne. Doch wo war der Kaffee? Das mache ich doch immer als Erstes, wenn ich aufstehe. Aber heute war ich offensichtlich so durch den Wind, dass ich die Maschine nicht angestellt hatte. Hier kam offensichtlich viel Schicksal zusammen und ich hätte mich einfach wieder ins Bett legen sollen. Wenn da bloß nicht dieses Meeting mit dem Chef gewesen wäre! Also trank ich keinen Kaffee und dachte: „Ein Glas Milch macht vielleicht meinen Tag perfekter." Ich schenkte mir ein Glas voll ein, setzte an und spuckte: Sie war sauer!
Als ich die Tür hinter mir schloss, stellte ich mit Erleichterung fest, dass ich die Aktentasche in meiner Hand trug. In der Garage fiel mir ein, dass wichtige Unterlagen, die ich gestern noch durchgesehen hatte, auf meinem Schreibtisch lagen. Also rannte ich noch einmal in die Wohnung und da stand sie, meine Frau, mit ihrem Koffer in der Hand und sagte: „Schatz, es geht los!" Drei Stunden später hielt ich überglücklich unseren Sohn im Arm. Was für ein toller Tag!

b Welche Missgeschicke passieren dem Erzähler? Warum endet der Tag doch anders, als man am Anfang denkt?

c Ordnen Sie den Ausdrücken 1–5 die passenden Erklärungen a–e zu.

1. ____ abergläubisch sein   a durcheinander sein

2. ____ jmd. eines Besseren belehren   b etwas nicht beachten

3. ____ einen Satz aus dem Bett machen   c jmd. überzeugen, seine falsche Meinung aufzugeben

4. ____ keine Notiz von etwas nehmen   d an Dinge glauben, die Glück bringen oder schaden

5. ____ durch den Wind sein   e sehr schnell aufstehen

d Welcher Tag ist in Ihrem Land ein Unglückstag? Was sollte man an diesem Tag nicht tun?

e Welche abergläubischen Aussagen kennen Sie? Was bedeuten sie?

Wenn man einen Spiegel zerbricht, dann hat man sieben Jahre Pech.
Aber es gibt auch den Spruch: „Scherben bringen Glück."

6a Sie haben eine E-Mail von guten Freunden bekommen. Worum geht es?

Ab sofort haben wir kürzere Nächte und weniger Freizeit, aber 3790 g mehr Glück!

Worte und Zahlen können kaum ausdrücken, wie glücklich wir sind! Aber für alle, die es interessiert, gibt es hier trotzdem die üblichen Eckdaten: Wir waren etwa 13 Stunden im Kreißsaal, die Geburt verlief weitgehend normal. Uns dreien geht es gut. Unsere Eva war bei der Geburt 54 cm lang und wog 3790 g.

Die glücklichen, übermüdeten Eltern
Sonja und Heiner

b Sie wollen auf die E-Mail reagieren und Ihren Freunden zur Geburt des Kindes gratulieren. Ordnen Sie die Redemittel in die Tabelle.

> Ich bin sehr froh, dass …   Ich freue mich sehr/riesig für euch.   Alles Gute!
>
> Ich schicke euch die herzlichsten Glückwünsche!   Das ist eine tolle Nachricht!
>
> Es freut mich, dass …   Ich möchte euch zur Geburt eures Sohnes / eurer Tochter gratulieren.
>
> Ich wünsche eurem Kind viel Glück!   Ich sende euch die allerbesten Wünsche!
>
> Herzlichen Glückwunsch!

GUTE WÜNSCHE AUSSPRECHEN / GRATULIEREN	FREUDE AUSDRÜCKEN

c Schreiben Sie Ihren Freunden eine Antwort-E-Mail. Schreiben Sie etwas zu den folgenden Punkten. Überlegen Sie sich eine passende Reihenfolge.

• Fragen Sie, wann Sie Ihre Freunde besuchen können.
• Bedanken Sie sich für die E-Mail und beglückwünschen Sie die Eltern.
• Erkundigen Sie sich nach dem Baby und der Mutter.
• Fragen Sie die Eltern, was Sie dem Kind als Geschenk kaufen können.

Anne-Sophie Mutter *(* 29. Juni 1963)*

Weltberühmte Violinistin

Nur wenige Künstlerinnen haben einen ähnlich nachhaltigen Einfluss auf die klassische Musikszene ausgeübt wie Anne-Sophie Mutter. Sie wusste schon als Kind, was sie wollte, und hat ihren Traum verwirklicht. Bereits als 7-Jährige gewann sie den Wettbewerb „Jugend musiziert" mit Auszeichnung. 1976 fiel sie Herbert von Karajan auf, unter dessen Leitung sie ein Jahr später bei den Salzburger Pfingstkonzerten als Solistin auftrat. Diese Zusammenarbeit öffnete der Geigerin die Türen zum internationalen Erfolg. Mutter wurde schnell weltweit als herausragende Künstlerin anerkannt, wurde zum Stargast internationaler Ensembles und arbeitete mit den größten Dirigenten. Ihre Popularität nutzt sie für Benefizprojekte und die Förderung des musikalischen Nachwuchses. Mutter, die eine Stradivari-Geige spielt, bekam für ihr soziales Engagement mehrere Auszeichnungen.

Anne-Sophie Mutter © Harald Hoffmann / DG

Anne-Sophie Mutter beantwortete einen Fragebogen, der ein wenig Einblick in ihre Persönlichkeit gibt. Hier ein Ausschnitt:

Mein wichtigster Charakterzug
Ich bin ein Optimist, ein Idealist.

Was mir bei meinen Freunden am wichtigsten ist
Die Echtheit ihrer Freundschaft.

Meine größte Schwäche
Ungeduld (aber ich zeige sie selten)

Liebste Beschäftigung
Mit meinen Kindern zu spielen.

Mein Traum von Glück
Das ist mein Geheimnis!

Was wäre für mich das größte Unglück?
Eine schlechte Mutter zu sein.

Was ich gerne sein möchte
Ich bin auf dem Weg dahin …

Land, in dem ich leben möchte
Da, wo ich wohne: Deutschland und Österreich.

Meine Helden im wirklichen Leben
Der Dalai Lama und alle Verfechter der Menschenrechte.

Meine Helden/Heldinnen der Geschichte
Mozart, Gandhi, Mutter Theresa.

Reform, die ich am meisten bewundere
Alle diejenigen, die noch nicht abgeschlossen sind: Gleiche Rechte für Frauen, Abschaffung der Rassentrennung, Verbot der Kinderarbeit.

Wie ich sterben möchte
Ohne es zu merken.

Derzeitige Geisteshaltung
Ein Leben ohne Musik ist ein Leben im Irrtum.

Fehler, denen ich mit der größten Toleranz begegne
Solche, die aus tiefer Liebe gemacht werden, denn das sind keine wirklichen Fehler.

www Mehr Informationen zu Anne-Sophie Mutter.

Wählen Sie zu zweit fünf Punkte aus dem Fragebogen und formulieren Sie fünf weitere. Interviewen Sie sich gegenseitig. Präsentieren Sie dann im Kurs zusammenfassend die Antworten Ihres Partners / Ihrer Partnerin.

1   Tempusformen: Über Vergangenes berichten

Präteritum	Perfekt	Plusquamperfekt
Funktion • von Ereignissen schriftlich berichten, z. B. in Zeitungsartikeln, Romanen • mit Hilfs- und Modalverben berichten	**Funktion** von Ereignissen mündlich oder schriftlich berichten, z. B. in E-Mails, Briefen	**Funktion** von Ereignissen berichten, die vor einem anderen Ereignis in der Vergangenheit passiert sind
Bildung • regelmäßige Verben: Verbstamm + Präteritumsignal -*t-* + Endung (z. B. *träumen – träumte, fragen – fragte*) • unregelmäßige Verben: Präteritumstamm + Endung (z. B. *wachsen – wuchs, kommen – kam*) keine Endung bei 1. und 3. Person Singular	**Bildung** *haben/sein* im Präsens + Partizip II	**Bildung** *haben/sein* im Präteritum + Partizip II
	Bildung Partizip II • regelmäßige Verben: ohne Präfix: *sagen – **ge**sagt* trennbares Verb: *aufhören – auf**ge**hört* untrennbares Verb: *verdienen – verdient* Verben auf -*ieren*: *faszinieren – fasziniert* • unregelmäßige Verben: ohne Präfix: *nehmen – genomm**en*** trennbares Verb: *aufgeben – auf**ge**geb**en*** untrennbares Verb: *verstehen – verstand**en***	

Ausnahmen: *kennen – kannte – habe gekannt*   *bringen – brachte – habe gebracht*
                 denken – dachte – habe gedacht   *wissen – wusste – habe gewusst*

Eine Übersicht über wichtige unregelmäßige Verben finden Sie im Anhang.

2   Verben und Ergänzungen

Das Verb bestimmt, wie viele Ergänzungen in einem Satz stehen müssen und welchen Kasus sie haben.

Verb + Nominativ:	*Der Junge ging unter.*
Verb + Akkusativ:	*Er rettete einen vierjährigen Jungen.*
Verb + Dativ:	*Ich helfe kranken und behinderten Reisenden.*
Verb + Dativ + Akkusativ:	*Ich erkläre ihnen ihre weitere Reiseverbindung.*
Verb + Präposition + Akkusativ:	*Die Leute freuen sich über einen warmen Ort.*
Verb + Präposition + Dativ:	*Er begann mit den lebensrettenden Maßnahmen.*

Die Reihenfolge der Objekte im Satz ist von der Wortart der Objekte abhängig:

Die Objekte sind:	Beispiele	Reihenfolge
Nomen	*Ich erkläre den Reisenden ihre Verbindung.*	erst Dativ, dann Akkusativ
Nomen und Pronomen	*Ich erkläre ihnen ihre Verbindung.* *Ich erkläre sie den Reisenden.*	erst Pronomen, dann Nomen
Pronomen	*Ich erkläre sie ihnen.*	erst Akkusativ, dann Dativ

Eine Übersicht über Verben mit Ergänzungen finden Sie im Anhang.

Die Chefin

1 In welchen Berufen arbeiten viele Männer und in welchen viele Frauen? In welchen Berufen sind Frauen häufig in Chefpositionen, in welchen eher selten? Vergleichen Sie mit Ihrem Land und besprechen Sie mögliche Gründe.

2a Sehen Sie die erste Filmsequenz und arbeiten Sie in Gruppen. Wovon träumt Sybille Milde? Welche Probleme kommen nun auf sie zu?

b Beschreiben Sie Sybille Mildes Weg zur Sterneköchin. Worauf ist sie besonders stolz?

3 Sammeln Sie zu zweit Adjektive, die zu Sybille Milde passen. Benutzen Sie auch das Wörterbuch. Vergleichen Sie dann im Kurs.

selbstsicher, rational …

4a Sehen Sie die zweite Filmsequenz. Wer sagt was? Notieren Sie.

1. Um dieses Essen zu beurteilen, braucht man keine Brille: Es ist hervorragend! ____

2. Auch Frau Milde hatte es am Anfang schwer in dieser reinen Männerwelt. ____

3. Ich denke, mit der Geburt des Kindes ist die Karriere von Frau Milde zu Ende. ____

4. Sie hätte noch ein bisschen warten können. ____

5. Da sind Bemerkungen gefallen, die vollkommen daneben waren. ____

Thomas Hessler, Restaurantinhaber

Andreas Eggenwirth, Kenner der Szene

Gäste des Restaurants

b Wie schätzen die Personen aus 4a die Leistungen und Karrierechancen von Sybille Milde ein?

5 Im Film haben Sie diese Wendungen gehört. Ordnen Sie die Erklärungen zu.

1. am Ball bleiben
2. etwas unter einen Hut bringen
3. das Sagen haben
4. ans Tageslicht kommen

a öffentlich bekannt werden
b eine Sache aktiv weitermachen
c verschiedene Tätigkeiten oder Meinungen gut miteinander verbinden
d Entscheidungen treffen und sie durchsetzen

6a Sehen Sie den Film noch einmal. Was sagt Sybille Milde zu diesen Themen? Machen Sie Notizen und vergleichen Sie.

Kinder	Karriere	Geld	Alter

b Was denken Sie über Sybille Mildes Aussagen? Diskutieren Sie im Kurs.

7a Lesen Sie den Text und unterstreichen Sie die wichtigsten Aussagen.

> Haben Frauen und Männer bis dahin gemeinsam studiert, gemeinsam den Einstieg in den Beruf geschafft, zeigt die Statistik bei den Frauen ab 30 einen Knick: Während Männer in der Unternehmens- und Einkommenshierarchie nach oben klettern, bleiben die Frauen stecken oder springen gleich ganz von der Karriereleiter. (…)
> Nach der Entscheidung für Kinder bekommen Frauen im Schnitt gleich zwei Kinder, bleiben im Durchschnitt zweieinhalb Jahre zu Hause und verpassen damit völlig den Anschluss an die Karriere. Zwar sind fast zwei Drittel der deutschen Mütter berufstätig, doch vier von fünf arbeiten in karrierefeindlichen Teilzeitmodellen. (…) Studierte Frauen bekommen doppelt so häufig keine Kinder wie Frauen mit Hauptschulabschluss. Zwar haben seit Kurzem Eltern in Deutschland Rechtsanspruch auf einen Krippenplatz für Kinder bis drei Jahre und auch ein Kindergartenplatz ist rechtlich gesichert, aber die Ganztagesbetreuung – also auch am Nachmittag – ist sowohl bei Kleinkindern als auch bei Schulkindern nach wie vor ein Problem. Oft ist es nicht möglich, einen Betreuungsplatz zu finden, und wenn, dann muss man weite Wege zwischen Wohnsitz, Arbeitsplatz und Betreuungseinrichtung zurücklegen.

b Vergleichen Sie die beschriebene Situation mit der in Ihrem Land.

8 Drei Jahre später: Sybille und Daniel planen den nächsten Tag. Spielen Sie eine kleine Szene am Esstisch.

9 Sybille Milde heißt jetzt Sybille Schönberger. Recherchieren Sie im Internet: Was macht sie heute?

Wohnwelten

2

1

3

1 Sehen Sie sich die Bilder an. Welches gefällt Ihnen am besten? Warum entscheiden sich Menschen, an diesem Ort zu leben?

2a Welcher „Wohntyp" sind Sie? Entdecken Sie Ihre Vorlieben. Kreuzen Sie an.

A - I
B - II
C - IIII

[A] Die Natur und der Wechsel der Jahreszeiten sind für mich sehr wichtig. N

[C] Um mich wohlzufühlen, brauche ich viele Kneipen und Geschäfte in meiner Nähe. J

[B] Die Hektik der Großstadt gefällt mir nicht, aber auf dem Land ist es mir zu ruhig. N

[A] Ich möchte meine Nachbarn gut kennen, denn so kann man sich gegenseitig helfen. J

[B] Ab und zu gehe ich gern ins Kino, aber jeden Abend ausgehen ist nichts für mich. N

[C] Ich gebe einen großen Teil meines Gehalts für meine Wohnung aus. J

[C] Ich sehe regelmäßig die neuesten Filme und besuche interessante Ausstellungen. J

[B] Am liebsten möchte ich überall zu Fuß hingehen können. J

[A] Ich brauche viel Platz und einen großen Garten, weil ich gern einen Hund hätte. N

[C] Ich will machen können, was ich will, ohne dass meine Nachbarn darüber sprechen. J

[A] In meiner Freizeit will ich vor allem Ruhe. N
                              wichtig

[B] Wenn ich durch die Stadt gehe, freue ich mich immer, wenn ich Bekannte treffe. J

[B] Es ist schrecklich, wenn man ständig im Stau steht und dann keinen Parkplatz findet. N

[A] Zur Arbeit und zum Einkaufen muss ich mit dem Auto fahren, aber das stört mich nicht. N

[C] Ich kann auf das Auto verzichten, wenn das öffentliche Verkehrssystem gut funktioniert. N
         → you can have but you don't need it

b Welche Buchstaben haben Sie angekreuzt? Lesen Sie die Auswertung auf Seite 170. Trifft die Beschreibung wirklich auf Sie zu?

Eine Wohnung zum Wohlfühlen

1.14

1a Hören Sie den Dialog. Wie reagiert Maria am Anfang auf Annas Besuch und warum?

b Was ist an der neuen Wohnung besser als an der alten? Notieren Sie.

mit Balkon …

c Wie wohnen Sie? Tauschen Sie sich zu zweit aus.

1.15

2a Hören Sie die trennbaren und untrennbaren Verben aus dem Gespräch noch einmal. Markieren Sie den Wortakzent.

ansehen⌡   gefallen﹂
aufräumen⌣   herlaufen⌡
ausziehen⌣   herumstehen⌣
beginnen﹂   hinlaufen⌡
bezahlen﹂   reinkommen⌡
einkaufen⌡   verstehen﹂
entscheiden﹁   vorbeikommen⌣
erzählen﹁   zerreißen﹁

b Welche Verben sind trennbar, welche untrennbar? Ordnen Sie die Verben aus 2a zu und ergänzen Sie weitere.

A: trennbare Verben	B: untrennbare Verben
an | sehen	*beginnen*

c Lesen Sie die Sätze 1–3 und ergänzen Sie die Sätze 4 und 5.

G

	A: ansehen	**B: bezahlen**
1. Aussage:	Ich <u>sehe</u> mir die Wohnung <u>an</u>.	Ich <u>bezahle</u> die Miete.
2. Imperativ:	<u>Sieh</u> dir das <u>an</u>!	<u>Bezahl</u> doch endlich!
3. *zu* + Infinitiv:	Ich mag es, Wohnungen <u>anzusehen</u>.	Es ist wichtig, die Miete pünktlich zu <u>bezahlen</u>.
4. Nebensatz:	Ich freue mich, weil ich mir heute eine Wohnung _____ .	Mein Vermieter möchte, dass ich die Miete immer am 3. des Monats _____ .
5. Perfekt:	Gestern habe ich mir eine Wohnung _____ .	Gestern habe ich endlich die Miete _____ .

d Bilden Sie zehn Sätze wie in 2c. Benutzen Sie die Verben aus Ihren Listen A und B.

A
1. *Ich <u>räume</u> mein Zimmer <u>auf</u>.*
2. …

B
1. *Ich <u>verkaufe</u> mein Auto.*

▶ Ü 1–6

3 Was braucht man, um sich zu Hause wohlzufühlen? Sammeln Sie und erstellen Sie eine Hitliste im Kurs. Was ist für Sie am wichtigsten? Warum?

nette Nachbarn, Park in der Nähe, …

4a Sehen Sie die Grafik und die Redemittel an. Verbinden Sie die Redemittel mit den passenden Fortsetzungen.

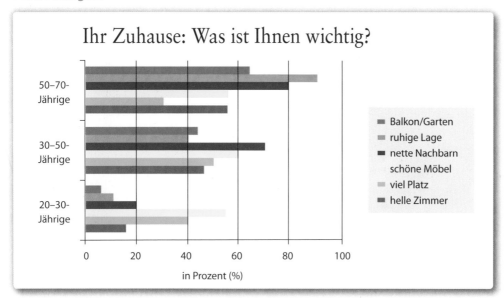

Ihr Zuhause: Was ist Ihnen wichtig?

- Balkon/Garten
- ruhige Lage
- nette Nachbarn
- schöne Möbel
- viel Platz
- helle Zimmer

in Prozent (%)

EINE GRAFIK BESCHREIBEN

Einleitung:

1. Die Grafik zeigt, … ___B___

2. Die Grafik informiert über … _____

A … wichtige Eigenschaften von Wohnungen.

B … was Menschen brauchen, um sich zu Hause wohlzufühlen.

Hauptpunkte beschreiben:

3. Die meisten … _____

4. Die wenigsten … _____

5. Auffällig/Interessant ist, dass … _____

6. Über die Hälfte der … _____

7. Im Gegensatz/Unterschied zu … _____

8. Am unwichtigsten … _____

C … 30-50-Jährigen wollen nette Nachbarn haben.

D … ist den 50-70-Jährigen viel Platz.

E … älteren Leuten eine ruhige Lage wichtig ist.

F … den älteren Leuten sind den 20-30-Jährigen vor allem schöne Möbel wichtig.

G … 20-30-Jährigen brauchen einen Balkon.

H … älteren Leute sagt, dass ihnen helle Zimmer wichtig sind.

▶ Ü 7

b Beschreiben Sie die Grafik in einem kurzen Text und benutzen Sie die Redemittel. Vergleichen Sie dann mit Ihrem Partner / Ihrer Partnerin. Welche Informationen haben Sie ausgewählt?

STRATEGIE | **Eine Grafik beschreiben**

Nennen Sie den Titel und das Thema der Grafik und gehen Sie auf die höchsten, niedrigsten und auffälligsten Werte ein. Nennen Sie vor allem auch Werte, die Sie persönlich überraschen.

c Vergleichen Sie die Grafik mit Ihrer Hitliste aus 3. Welche Unterschiede gibt es?

▶ Ü 8

Ohne Dach

1 Sehen Sie sich die Fotos an. Was bedeutet „Obdachlosigkeit"?

2a Diese Begriffe haben oft mit dem Begriff „Obdachlosigkeit" zu tun. Ordnen Sie sie in die Tabelle ein. Es gibt mehrere Möglichkeiten.

die Frustration der Alkohol (das Wohnheim) die Isolation die Familie die Suppenküche
die Armut die Scheidung die Angst die Hoffnung die Arbeitslosigkeit (die Perspektive)
die Einsamkeit die Schulden die Freunde die Erfolglosigkeit die Randgruppe das Sozialamt
die Notunterkunft die Intoleranz die Krankheit die Chancenlosigkeit

look up
Help organizations in Germany

Ursachen *gründe*	persönliche Situation	Gefühle	Gesellschaft	Hilfsangebote
die Arbeitslosig-keit die Armut der Alkohol die Erfolglosig-keit die Schulden die Krankheit	die Perspektive ~~die Familie~~ der Alkohol die Krankheit die Scheidung ~~die Freunde~~ die Chancenlos-igkeit	die Isolation die Angst die Frustration die Einsamkeit die Intoleranz ~~die Schulden~~	die Hoffnung die Freunde die Familie die Randgruppe	die Suppenküche die Notunterkunft das Sozialamt

debt

die Randgruppe

b Wählen Sie drei Begriffe und schreiben Sie je einen Satz zum Thema „Obdachlosigkeit".

Ich glaube, dass vielen Obdachlosen eine Perspektive fehlt. Arbeitslosigkeit ist oft ein Problem. ...

einsam → einsamkeit

kostenlos essen

eine warme mahlzeit ?

3a Hören Sie nun ein Radiointerview. Welche Aspekte werden angesprochen?

1.16

. *arbeitlosigkeit*

. *Alkohol* u.

. *hilfe*

• er ist arbeitlos und hat kein geld
couldn't afford his apartment + looked for a new SU

• essen im suppe küchen

b Hören Sie das Interview noch einmal und ergänzen Sie das Schema in Stichworten.

Gründe für die Obdachlosigkeit	momentane Situation
arbeitslos *keine wohnung mit keine arbeit { Keine geld für seine Wohnung → Er hat nach München für arbeit umgezogen* *• Sein chef war* *• keine freunde im neue Stadt*	*• Er lebt auf der straße in der nähe → draußen ein Bahnhof mit zwei andere obdachlos menschen* *• essen im Suppenküche*

Klaus

STRATEGIE

Stichworte notieren

Wenn Sie beim Hören oder Lesen Stichworte notieren, tun Sie dies möglichst in thematischen Gruppen. Häufige Themengruppen sind: Gründe, Beschreibung der Situation, Ziele …

Gründe für die Obdachlosigkeit	momentane Situation
• seine firma 'fired' *• keine neue arbeit* *• alkoholism* *• seine Frau ist gegangen → verlassen* *• die Schulden*	*• Er hat eine Wohnung von ein soziales organization* *• ein mehr normal leben und seine tochter kann besuchen*

Andreas ← *obdachlosenheim*

c Welche Gemeinsamkeiten und welche Unterschiede stellen Sie bei Klaus und Andreas fest?

4 Wie ist die Situation obdachloser Menschen in Ihrem Land? Berichten Sie über mögliche Ursachen und Hilfsangebote.

5 Was können wir tun, um zu helfen? Was kann oder muss der Staat tun? Diskutieren Sie.

▶ Ü 1

Wie man sich bettet, …

1 Übernachten im Hotel: Was erwarten Sie von einem guten Hotel?

▶ Ü 1 *Ich möchte ein gemütliches Zimmer haben.* *Ich finde ein Bad mit großer Badewanne super.*

2a Lesen Sie den Artikel. Was ist das Besondere an den Hotels? Machen Sie Notizen.

Was für eine Nacht!

Die meisten Menschen möchten sich im Hotel wie zu Hause fühlen. Mit weichen Betten und viel Komfort schaffen die Besitzer für den zahlenden Gast eine angenehme Umgebung. Aber nicht jedem
5 Menschen gefällt diese Gemütlichkeit. Darum gibt es auch Angebote für jene, die sogar in einem Hotel das Besondere oder das Abenteuer suchen: Die Branche bietet die verrücktesten Übernachtungen für den neugierigen Kunden an. Gehören Sie auch
10 dazu? Hier einige Vorschläge:

Schwimmen und tauchen Sie gerne? Dann übernachten Sie doch mal unter Wasser – das kann man in der „Jules' Undersea Lodge" in Key Largo, Florida. Den Namen gab man dem Hotel nach Jules Verne, dem Au-
15 tor des Abenteuerromans „20.000 Meilen unter dem Meer". Das Hotel ist ein ehemaliges Forschungslabor und hat nur drei Zimmer. Um es zu betreten, müssen die Gäste hinabtauchen, allerdings keine 20.000 Meilen,

sondern nur 6,5 Meter. Dafür können Sie dann zu Hause
20 Ihrem Nachbarn erzählen, dass Sie vom Bett aus bunte Fische sehen konnten.

Oder darf es etwas lauter sein? Wie wäre es mit einem Schlafplatz im Zirkus? Sie übernachten in einem Zirkuswagen mit allem Komfort und leben Tür an Tür mit ei-
25 nem Elefanten, einem Löwen, den Clowns oder einem Dompteur. Am Tag lernen Sie den Alltag in der Manege kennen, Sie riechen das Popcorn und die Sägespäne, Sie hören die Musik, das Lachen und den Applaus des Publikums. Sie können auch eine Woche mit auf Tour-
30 nee durch die Schweiz gehen und das Leben eines Artisten kennenlernen: Viel harte Arbeit, aber auch viel Spaß und Leidenschaft für den Beruf.

Vielleicht interessieren Sie sich aber mehr für Technik? Dann ist vielleicht eine Nacht im Flugzeug das Richtige
35 für Sie. Einst flog es als Maschine eines Präsidenten, jetzt gibt es keinen Piloten mehr. Das alte Flugzeug wurde in Holland zum Hotel umfunktioniert. Fast eine halbe Million Euro wurde investiert, um das Flugzeug vom Typ IL-18 umzubauen und mit Whirlpool, Sauna

40 und Hausbar auszustatten. Die Maschine hat eine bewegende Geschichte. Erst war sie für die DDR-Fluggesellschaft Interflug unterwegs, dann wurde sie als Kneipe genutzt. Nun erlebt sie seit einigen Jahren wieder glanzvollere Zeiten als Luxusherberge.

b In welchem Hotel würden Sie gerne / auf keinen Fall übernachten? Warum (nicht)?

3a Ergänzen Sie die Nomen. Der erste Abschnitt des Artikels hilft. Welche Unterschiede finden Sie bei den Nomen?

1. <u>Der Gast</u> hat gut geschlafen.

   Mit weichen Betten und viel Komfort schaffen die Besitzer für <u>den zahlenden</u> _____ eine angenehme Umgebung.

2. <u>Der Kunde</u> war mit dem Hotel sehr zufrieden.

   Die Branche bietet die verrücktesten Übernachtungen für <u>den neugierigen</u> _____ an.

3. <u>Der Mensch</u> mag es gemütlich.

   Aber nicht <u>jedem</u> _____ gefällt diese Gemütlichkeit.

b Sehen Sie die Tabelle an. Welches Nomen aus 3a gehört auch zur n-Deklination? Ergänzen Sie die Formen.

G

	maskuline Nomen		
Singular			**n-Deklination**
Nominativ	der Beruf	der Kunde	*der* _____
Akkusativ	den Beruf	den Kunde**n**	_____
Dativ	dem Beruf	dem Kunde**n**	_____
Genitiv	des Beruf**s**	des Kunde**n**	_____
Plural			
Nominativ	die Berufe	die Kunden	_____
Akkusativ	die Berufe	die Kunden	_____
Dativ	den Berufe**n**	den Kunden	_____
Genitiv	der Berufe	der Kunden	_____

c Welche Nomen aus dem Text gehören nicht zur n-Deklination? Streichen Sie durch.

der Artist (Z. 31) – ~~das Bett~~ (Z. 2) – der Beruf (Z. 32) – der Besitzer (Z. 3) – der Elefant (Z. 25) –

der Fisch (Z. 21) – der Gast (Z. 3) – das Hotel (Z. 1) – der Kunde (Z. 9) – der Löwe (Z. 25) –

der Mensch (Z. 1) – der Meter (Z. 19) – der Nachbar (Z. 20) – die Nacht (Z. 34) – der Name (Z. 14) –

der Pilot (Z. 36) – der Schlafplatz (Z. 23) – der Präsident (Z. 35) – der Alltag (Z. 26) – der Zirkus (Z. 23) ▶ Ü 2

d Nennen Sie Ihrem Partner / Ihrer Partnerin vier Nomen aus 3c. Er/Sie schreibt eine kurze Geschichte und liest vor.

▶ Ü 3

4 Verrückte Hotels: Verkaufen Sie eine Nacht im …-Hotel. Was ist dort besonders/toll/ faszinierend/…? Sprechen Sie zu zweit.

Hotel Mama

1a Was denken Sie? Was bedeutet der Begriff „Nesthocker"?

Das ist …

☐ jemand, dem eine gemütliche, warme Wohnung sehr wichtig ist.
☐ ein junger Mensch, der ungewöhnlich lange bei seinen Eltern wohnt.
☐ eine Person, die am liebsten zu Hause bleibt und selten ausgeht.

b Gibt es in Ihrer Sprache ein ähnliches Wort?

c Was fällt Ihnen zum Begriff „Nesthocker" ein? Sammeln Sie im Kurs.

STRATEGIE

W-Fragen stellen

W-Fragen helfen, den Inhalt eines Textes besser zu verstehen: *Wer* tut etwas? *Was* geschieht? *Wann* geschieht es? *Wo* und *warum* passiert es? Und so weiter.

2a Lesen Sie den Artikel und unterstreichen Sie die Informationen, die auf die Fragen *wer, wo, was, warum* antworten.

Bei Mama ist's am schönsten

Ein voller Kühlschrank, frische Wäsche, ein geputztes Bad – bei dem Begriff „Hotel Mama" denken viele an einen Betrieb, der hält, was ein gutes Hotel verspricht.

5

Neben reiner Bequemlichkeit sind finanzielle und psychologische Gründe dafür verantwortlich, dass Jugendliche in Deutschland immer länger zu Hause wohnen bleiben. Viele Untersuchungen nennen Geld-
10 probleme und längere Ausbildungszeiten als wichtige Ursachen für die gestiegene Zahl von „Nesthockern". Damit eine gute Ausbildung bezahlt werden kann, bleiben viele Jugendliche länger zu Hause. Aber nicht nur mit der eigenen Wohnung, sondern auch mit Hei-
15 rat und der Planung einer eigenen Familie warten die jungen Leute immer länger.

„Hotel Mama vor allem bei jungen Männern beliebt", meldet das Statistische Bundesamt. Fast die
20 Hälfte (46 %) aller 24-jährigen Männer lebt noch bei den Eltern. Mit 30 Jahren sind es noch 14 % und mit 40 Jahren immerhin noch 4 % der Männer. Von den jungen Frauen wohnt dagegen bereits mit 22 Jahren deutlich weniger als die Hälfte (42 %) bei den Eltern,
25 bei den 24-jährigen Frauen sind es nur noch 27 %. Mit 30 Jahren leben lediglich 5 % und mit 40 Jahren nur noch 1 % der Frauen im elterlichen Haushalt. Die Zahlen beweisen: Der Trend ist eindeutig.

30 Frauen sind meistens schneller unabhängig, weil sie eher ins Berufsleben eintreten und sich oft früher binden. Im Durchschnitt heiraten Frauen mit 27 Jahren, Männer mit über 29 Jahren.

35 In Deutschland ist der „typische Nesthocker" wissenschaftlich identifiziert: männlich, ledig, gebildet und Sohn gut verdienender Eltern. Dieser Typ hat festgestellt, dass sich seine lange Ausbildungszeit und seine hohen finanziellen Ansprüche besonders kom-
40 fortabel dadurch verbinden lassen, dass er bei den Eltern wohnen bleibt.

Die Gründe für den späten Auszug sind vielschichtig und immer individuell. Die Psychologin Elke Herms-Bohnhoff hat verschiedene „Nesthocker-Ty-
45 pologien" entwickelt, darunter die „Lebensplaner": In ihrem Beruf sind sie fleißig, sehen es dafür aber als selbstverständlich an, dass die Eltern sie beherbergen, damit sie ihr Ziel erreichen. Eine weitere Nesthocker-Gruppe sind die „Anhänglichen", die gemeinsame
50 Fernseh- oder Spieleabende mit der Familie lieben.

Überhaupt hat sich die Eltern-Kind-Beziehung geändert, ist ausgeglichener und partnerschaftlicher geworden: Fast 90 % der 12- bis 25-Jährigen geben an,
55 mit ihren Eltern gut klarzukommen. Eine räumliche Trennung gehört auch wegen liberalerer Erziehungsmethoden daher nicht mehr selbstverständlich zum Ablösungsprozess von den Eltern.

b Ordnen Sie die Überschriften den Textabschnitten zu.

Moderne Familie – Ursachen und Gründe – Typologie der Nesthocker – Der Trend in Zahlen –
Frauen verlassen das Elternhaus schneller

c Welche Gründe werden im Text <u>für</u> den Trend zum „Hotel Mama" genannt? Notieren Sie und
sammeln Sie weitere Argumente.

Pro „Hotel Mama"
lange Ausbildungszeiten

d Was spricht Ihrer Meinung nach
<u>gegen</u> das „Hotel Mama"?
Diskutieren Sie zu zweit und
vergleichen Sie im Kurs.

Contra „Hotel Mama"
auf eigenen Beinen stehen

▶ Ü 1

1.17-19

3 Hören Sie drei Aussagen. Wo wohnen die Personen und warum? Wie unterscheiden sie sich von
den „typischen Nesthockern" aus dem Artikel?

Konstantin, 22   Isabell, 21   Tobi, 24

Wo?

_____   _____   _____

Warum?

_____   _____   _____

_____   _____   _____   ▶ Ü 2

Hotel Mama

4a Sie bekommen von einem deutschen Freund eine E-Mail. Überfliegen Sie den Text und fassen Sie das Problem Ihres Freundes in einem Satz zusammen.

Hallo …,
wie geht es dir und deiner Familie? Tut mir leid, dass ich mich so lange nicht gemeldet habe. Aber wie du weißt, habe ich gerade meine Ausbildung als Krankenpfleger begonnen und musste mich erst mal so richtig einarbeiten. Jetzt ist der erste Stress vorbei und ich überlege, ob ich von zu Hause ausziehen soll. Ich verstehe mich zwar ganz gut mit meinen Eltern und meiner Schwester, aber mein Zimmer wird mir langsam doch zu eng. Das Geld wäre zwar knapp, denn während der Ausbildung verdiene ich natürlich nicht so viel, aber ich hätte endlich meine eigenen vier Wände. Andererseits müsste ich dann auch alles alleine machen, was wahrscheinlich auch ganz schön anstrengend ist, wenn man abends müde von der Arbeit kommt. Was würdest du denn an meiner Stelle tun?
Lass dir nicht so viel Zeit wie ich und melde dich bald mal!

Viele Grüße
Sebastian

b Ihr Freund möchte Ratschläge von Ihnen. Welche Redemittel können Sie verwenden? Ordnen Sie die Redemittel zu und sammeln Sie weitere im Kurs.

Ich freue mich auf eine Nachricht von dir. – Ich denke, dass … – Mach's gut und bis bald! – Du solltest … – Danke für deine E-Mail. – Du könntest … – Mach dir noch eine schöne Woche und alles Gute – Auf keinen Fall solltest du … – Am besten … – Schön, von dir zu hören … – Meiner Meinung nach solltest du … – Wenn du mich fragst, dann … – Ich habe mich sehr über deine E-Mail gefreut. – An deiner Stelle würde ich …

EINLEITUNG	RATSCHLÄGE GEBEN
SCHLUSS	

c Beantworten Sie die E-Mail Ihres Freundes. Schreiben Sie etwas zu allen vier Punkten. Überlegen Sie sich dabei eine passende Reihenfolge. Denken Sie auch an Anrede, Grußformel, Einleitung und Schluss.

- Wie sieht Ihre momentane Wohn- und Lebenssituation aus?
- Wie wohnen die jungen Leute in Ihrem Land?
- Was sind die Vor- und Nachteile eines Auszugs aus Ihrer Sicht?
▶ Ü 3 - Was würden Sie an Sebastians Stelle tun?

5 Partnerarbeit – Rollenspiel: Entscheiden Sie sich für eine der drei Situationen und übernehmen Sie eine Rolle.

Jakob, 21 Jahre
(Automechaniker)
Sie haben gerade eine wirklich gute Anstellung gefunden. Sie verdienen zwar genug, um von zu Hause auszuziehen, sind sich aber noch nicht ganz sicher.

Wanda, 25 Jahre
(Verkäuferin)
Sie kennen Jakob sehr gut. Seit drei Jahren leben Sie schon in einer eigenen Wohnung und versuchen, Jakob auch zu diesem Schritt zu ermutigen.

Endlich habe ich …	Dann kannst du ja jetzt …
Ja, aber ich bin mir noch nicht sicher. …	Du kommst schon damit klar …
Ich befürchte nur, …	Es ist höchste Zeit, …

Matthias, 23 Jahre (Student)
Sie sind Student und wohnen in einer Wohngemeinschaft. Sie suchen einen Job als Kellner, aber Sie finden keinen. Die Miete ist zu teuer, Sie müssen ausziehen. Ihre Eltern haben Ihnen angeboten, dass Sie wieder bei ihnen einziehen können.

Johannes, 25 Jahre
(Student)
Sie sind der Mitbewohner von Matthias und raten ihm davon ab, wieder zu Hause einzuziehen. Sie bieten ihm finanzielle Unterstützung an.

Sie haben mir angeboten, …	Überleg dir das gut. …
Ich habe wohl keine Wahl. …	Wenn du möchtest, kann ich …
Ich kann dir nicht versprechen, …	Da kannst du dir Zeit lassen. …

Ralf, 54 Jahre (Anwalt)
Ihre Tochter arbeitet seit einem Jahr als Ärztin und wohnt immer noch zu Hause. Zur Klinik braucht sie über eine Stunde mit dem Auto. Sie raten ihr dazu, sich eine Wohnung in der Nähe der Klinik zu suchen.

Maria, 30 Jahre (Ärztin)
Sie möchten eigentlich noch nicht ausziehen, denn Sie haben keine Zeit, eine Wohnung zu suchen und sich darum zu kümmern. Sie versuchen, Ihrem Vater Ihren Standpunkt klarzumachen.

Sag mal, wäre es nicht besser …?	Wie meinst du das? …
Verstehe mich nicht falsch, aber …	Es ist nicht einfach, …
Wir helfen dir schon. …	Ich finde aber, dass …

▶ Ü 4

König Ludwig II. *(1845–1886)*

Märchenkönig und Technikfreak

Sein ungewöhnliches Leben in den Schlössern

Über den „bayerischen Märchenkönig" gibt es viele Geschichten und Gerüchte. Man beschreibt ihn als verträumt und menschenscheu. Er war ein König mit extremen Ideen und einem ganz eigenen Stil. Er zog sich gerne zurück: in die Natur, die Kunst, die Musik und in die Traumwelt seiner Schlösser. In den Alpen fand er die ideale Kulisse für seine architektonischen Visionen. Hier ließ er die Schlösser *Neuschwanstein, Linderhof, Herrenchiemsee* und viele „kleinere" Königshäuser bauen.

Das Königsschloss Neuschwanstein in Hohenschwangau

nig Mitglieder des französischen Hofes Gesellschaft: sein Vorbild Ludwig XIV. und andere. Natürlich gab es diese Gäste nur in seiner Fantasie, aber er führte mit ihnen lebhafte Gespräche und prostete ihnen zu.

Mit größter Neugierde verfolgte der König den technischen Fortschritt. Er brauchte die modernste Technik, um seine Fantasien zu verwirklichen. Seine größte Leidenschaft waren Farb-, Licht- und Klangeffekte. In einem seiner Schlafzimmer schien ein Mond von einem künstlichen Sternenhimmel auf sein Bett. Eine weitere Attraktion versteckt sich in Ludwigs Speisezimmer: Das „Tischlein-deck-dich", ein versenkbarer Tisch, an dem der König speisen konnte, ohne dass sein Personal ihn störte. Ein Stockwerk tiefer befand sich die Küche. Dort deckte man den Tisch. Eine Art Aufzug brachte ihn durch den Fußboden direkt nach oben ins Speisezimmer. Meistens leisteten dem Kö-

„Tischlein-deck-dich" im Schloss Herrenchiemsee

Wohnen im Märchenschloss – auch im 21. Jahrhundert?

Wohnen in Neuschwanstein: Meine Adresse? Wolkenkuckucksheim!

Markus Richter kennt das Gefühl, von vielen Menschen umringt zu sein. Viele Jahre hat er die Touristen durch den Königspalast geführt. Innerhalb von 30 Minuten wird jede Gruppe durch 30 Räume geschleust. Insgesamt 1,34 Millionen Besucher waren es im Jahr 2010 im Schloss Neuschwanstein. Kein anderes deutsches Bauwerk wird so sehr mit Sehnsüchten und Romantik verknüpft. Markus Richter ist Kastellan in Neuschwanstein. Er sagt: „Neuschwanstein hat zwei Gesichter, es gibt den Trubel am Tag und die Ruhe am Abend." Und dann sagt er einen Satz, den ein Kastellan eigentlich nicht sagen sollte: „Erst ohne Publikum entfaltet das Schloss seine ganze Schönheit." Wenn die letzten Gäste gegangen sind und er das große Eingangstor abschließt, legt sich eine erschöpfte Stille über die Burg. Wenn keine Fotoapparate mehr klicken. Wenn kein Laut mehr durch meterdicke Mauern dringt. Wenn von der Pöllatschlucht ein Wind heraufzieht und mit einem sanften Heulen durch den Schlosshof streift – „dann ist man weit weg von der Wirklichkeit", sagt Richter, „dann ist das ein wirklich magischer Ort."

 www   Mehr Informationen zu Ludwigs Schlössern.

Sammeln Sie Informationen über Persönlichkeiten aus dem In- und Ausland, die für das Thema „Wohnen" interessant sind, und stellen Sie sie im Kurs vor. Sie können dazu die Vorlage „Porträt" im Anhang verwenden.

Beispiele aus dem deutschsprachigen Bereich: Walter Gropius – Friedensreich Hundertwasser – Regine Leibinger – Annette Gigon – Herzog & de Meuron

1 Trennbare und untrennbare Verben

Präfixe	Beispiele
trennbar	**ab**/fahren, **an**/sehen, **auf**/räumen, **aus**/ziehen, **bei**/stehen, **dar**/stellen, **ein**/kaufen, **fest**/stellen, **fort**/setzen, **her**/kommen, **herum**/stehen, **hin**/fallen, **los**/fahren, **mit**/nehmen, **nach**/denken, **rein**/kommen, **vor**/stellen, **vorbei**/kommen, **weg**/laufen, **weiter**/gehen, **zu**/hören
untrennbar	**be**ginnen, **ent**scheiden, **er**zählen, **ge**fallen, **miss**fallen, **ver**stehen, **zer**reißen

In diesen Fällen wird das trennbare Verb nicht getrennt:
- Nebensatz: *Sie sagt, dass sie die Wohnung aufräumt.*
- Verb im Partizip II: *Sie hat die Wohnung auf**ge**räumt.*
         *Die Wohnung wird auf**ge**räumt.*
- Verb im Infinitiv (mit oder ohne *zu*):   *Sie hat begonnen, die Wohnung auf**zu**räumen.*
         Sie möchte die Wohnung aufräumen.

2 Deklination der Nomen: n-Deklination

Zur n-Deklination gehören:
- nur <u>maskuline</u> Nomen mit folgenden Endungen:

-e:	der Junge	*-ist:*	der Polizist	*-at:*	der Soldat
-graf:	der Fotograf	*-agoge:*	der Pädagoge	*-ot:*	der Pilot
-it:	der Bandit	*-ant:*	der Praktikant	*-ent:*	der Student
-soph:	der Philosoph	*-and:*	der Doktorand	*-loge:*	der Psychologe

- einige <u>maskuline</u> Nomen ohne Endung: *der Mensch, der Herr, der Nachbar, der Held, der Bauer …*

Deklination der Nomen:

	Maskulinum			Neutrum	Femininum
Singular		n-Deklination			
Nominativ	der Traum	der Kunde	der Mensch	das Haus	die Unterkunft
Akkusativ	den Traum	den Kunde**n**	den Mensch**en**	das Haus	die Unterkunft
Dativ	dem Traum	dem Kunde**n**	dem Mensch**en**	dem Haus	der Unterkunft
Genitiv	des Traum**es***	des Kunde**n**	des Mensch**en**	des Haus**es***	der Unterkunft
Plural					
Nominativ	die Träume	die Kunden	die Menschen	die Häuser	die Unterkünfte
Akkusativ	die Träume	die Kunden	die Menschen	die Häuser	die Unterkünfte
Dativ	den Träume**n****	den Kunden	den Menschen	den Häuser**n****	den Unterkünfte**n****
Genitiv	der Träume	der Kunden	der Menschen	der Häuser	der Unterkünfte

*   Im Genitiv Singular enden Nomen im Maskulinum und Neutrum meist auf *-(e)s*. Ausnahmen: Nomen der n-Deklination und Adjektive als Nomen (z. B. *das Gute – des Guten*).
** Im Dativ Plural enden die meisten Nomen auf *-n*. Ausnahme: Nominativ Plural auf *-s* (*die Autos – den Autos*).

Einige Nomen haben im Genitiv Singular die Endung *-ns* (Mischformen):
der Name, des Namens   *der Glaube, des Glaubens*   **das** *Herz, des Herzens*
der Buchstabe, des Buchstabens   *der Wille, des Willens*

Von Nesthockern und Heimschläfern

1 Sehen Sie sich den ganzen Film an. Wie finden Sie die Familien?

2a Bilden Sie Gruppen und entscheiden Sie sich für eine Familie. Sehen Sie den Film noch einmal. Was erfahren Sie über die Familie? Machen Sie Notizen zu den Familienmitgliedern und zu ihrem Zusammenleben.

b Stellen Sie „Ihre" Familie vor und vergleichen Sie die drei Familien im Kurs.

Familie Leupelt

Mutter Renate
Ich bin die Chefin im Haushalt. Anschaffen kann ich nur meinem Mann etwas. Meine Tochter sagt, „Lass mein Zeug in Ruh." Ich kann's aber nicht. Ich gehe hoch und mache so einige Handgriffe.

Vater Herbert
Auf eine Art möchte ich meine Freiheit haben. Ich hätte ganz gern, wenn die beiden zwei Straßen weiter wohnen würden.

Tochter Angelika, 46
Zu Hause bin ich das kleine Kind, das Befehle entgegennimmt und sich nach den Regeln richtet, ob's mir passt oder nicht.

Enkel Maximilian

Familie Zeisig

Mutter Evi
Ich mag halt alles geordnet. Da hat der Robert überhaupt kein Interesse dran. Wahrscheinlich haben wir ihn zu sehr verwöhnt.

Vater Reinhold

Sohn Robert, 32
Meine Mutter macht eigentlich komplett alles. Das ist doch verdammt schön.

Freundin Nicole
Aber es ist immer die Mama im Spiel. Die Mama ist immer da, Mama, Mama, Mama!

Familie Retzlaff

Mutter Gisela
Ich will, dass sie selbstständig werden. Doch der Verstand sagt so und das Herz sagt etwas anderes. Das Herz sagt, ich finde es schön, wenn sie da sind.

Sohn Matthias, 35
Vieles macht meine Mutter einfach. Ich würde es auch machen, aber sie kommt mir immer zuvor, sie hat mehr Zeit. So wird man halt bedient und hofiert.

Sohn Martin, 30
Ich denke, dass ich in meiner Selbstständigkeit und Entwicklung eingeschränkt bin.

3 Warum wohnen die erwachsenen Kinder noch zu Hause? Wie finden Sie das? Diskutieren Sie.

4 Überlegen Sie sich in der Gruppe einen Dialog zwischen den Familienmitgliedern „Ihrer" Familie (z. B. beim Essen, Putzen, im Garten …) und spielen Sie die Szene vor.

5a *entweder ... oder*: Suchen Sie elf
Gegenteilpaare.

selbstbewusst	loslassen
Macht	selbstständig
abhängig	Kontrolle
ängstlich	Verzweiflung
Risiko	sich binden
behindern	Sicherheit
ändern	mutig
Hoffnung	fördern
Freiheit	schüchtern
sich lösen	Ohnmacht
festhalten	gleich bleiben

b Wählen Sie drei Begriffe. Welche Assoziationen
verbinden Sie damit? Sammeln Sie im Kurs.

Mutter Erde – Mutterliebe – Mutterrolle –
mutterseelenallein – Muttersöhnchen –
Muttersprache – Rabenmutter – Schwiegermutter –
Stiefmutter – Übermutter

6a Evi Zeisig, Renate Leupelt und Gisela Retzlaff gehen ganz in ihrer Mutterrolle auf. Beschreiben Sie
die Aktivitäten der Mütter auf den Fotos. Was machen sie alles für ihre erwachsenen Kinder?

b Würde sich etwas ändern, wenn sie weniger für ihre Kinder tun würden? Diskutieren Sie.

7 Was denken Sie: Wie sieht die Zukunft der „Nesthocker" aus?

Wie geht's denn so?

Iss morgens wie ein Kaiser, mittags wie ein Edelmann, abends wie ein Bettler.

Ein Apfel am Tag mit dem Doktor keine Plag!

Mit den Hühnern ins Bett und mit ihnen aufstehen.

Sie lernen

Modul 1 | Informationen aus Texten über Schokolade auswerten

Modul 2 | Forumsbeiträge verstehen und kommentieren

Modul 3 | Informationen über das Lachen mithilfe von Notizen geben

Modul 4 | Über den Tagesrhythmus sprechen

Modul 4 | Tipps gegen Stress geben (in Gesprächen und in einem Forum)

Grammatik

Modul 1 | Pluralbildung der Nomen

Modul 3 | Deklination der Adjektive

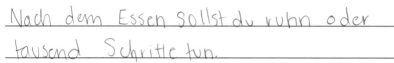

Nach dem Essen sollst du ruhn oder
tausend Schritte tun.

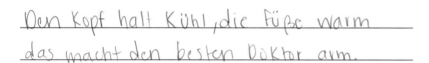

Den Kopf halt kühl, die Füße warm
das macht den besten Doktor arm.

1a Sehen Sie die Bilder an und diskutieren Sie in Gruppen. Welche Ratschläge werden hier gegeben?

b Ordnen Sie zu und schreiben Sie die Sprichwörter zu den Bildern.

1. _d_ Den Kopf halt kühl, die Füße warm, …
2. _e_ Nach dem Essen sollst du ruhn …
3. _a_ Mit den Hühnern ins Bett …
4. _c_ Iss morgens wie ein Kaiser, mittags wie …
5. _b_ Ein Apfel am Tag, …

a … und mit ihnen aufstehen.
b … mit dem Doktor keine Plag'.
c … ein Edelmann, abends wie ein Bettler.
d … das macht den besten Doktor arm.
e … oder tausend Schritte tun.

2a Wählen Sie drei Sprichwörter aus. Warum sollte man die Ratschläge befolgen?

b Welchen Rat befolgen Sie bereits? Welches Sprichwort möchten Sie in Zukunft in die Tat umsetzen?

3 Gibt es in Ihrer Sprache ähnliche Sprichwörter? Wählen Sie ein Sprichwort aus. Übersetzen und erklären Sie es in der Gruppe.

Eine süße Versuchung

1a Welche Süßigkeit oder Süßspeise mögen Sie am liebsten? Machen Sie eine Umfrage im Kurs. Notieren Sie die fünf beliebtesten.

Schokolade, Tiramisu …

b Vergleichen Sie Ihre Ergebnisse mit der Umfrage rechts. Welche Gemeinsamkeiten und Unterschiede gibt es?

Bei uns isst man mehr/weniger / (überhaupt) kein …
In … gibt es andere Süßigkeiten: …

> **Top 5**
> **der beliebtesten Süßigkeiten**
> **in Deutschland**
>
> 1. Kekse
> 2. Fruchtgummi
> 3. Schokolade
> 4. Schokoriegel
> 5. Bonbons

c Welche Adjektive passen zu den Süßigkeiten/Süßspeisen aus der Umfrage?

> süßlich   sauer   bitter   zartbitter   cremig   scharf   gewürzt   sahnig
>
> säuerlich   herb   gepfeffert   köstlich   leicht   aromatisch   fruchtig   zuckersüß

2a Wissenswertes rund um die Schokolade. Lesen Sie die Texte und formulieren Sie für jeden Text eine Überschrift.

1 _____

Die Hauptbestandteile der Schokolade sind schnell verraten: Neben Kakao enthalten alle Tafeln Vollmilchschokolade etwa 30 Prozent Fett und bis zu 50 Prozent Zucker. Kein Wunder also, dass in 100 Gramm des süßen Vergnügens viele Kalorien stecken. In fast jede Schokolade werden Geschmacksverbesserer gegeben. Milch- oder Sahnepulver machen das Ganze schön cremig. Nüsse und Nougat, Karamell und Marzipan sorgen für zusätzliche Geschmacksvarianten. Das bitter-herbe Aroma von Bitterschokolade entsteht dadurch, dass sie mindestens 60 Prozent Kakao enthält.

3 _____

Die Mayas in Mittelamerika zählten zu den größten Schokoladenfans. Ethnologen entdeckten in einem 1500 Jahre alten Gefäß Kakao. Schon 600 Jahre vor Christus heilten Indianer in ihren Dörfern mithilfe eines Getränks aus Kakao Fieber und Husten. Später entwickelten die Azteken, die auf dem Gebiet des heutigen Mexikos lebten, die Traditionen weiter. Sie mischten Kakaopulver mit Wasser. Die mit Honig gesüßte Variante dürfte dem heutigen Kakao am nächsten stehen.

2 _____

Schokolade ist Nervennahrung. Sie enthält ein ganzes Paket von Substanzen, die unsere Psyche beeinflussen, z. B. Koffein. Viel größere Einflüsse auf die menschliche Psyche hat der hohe Zuckergehalt. Durch das Naschen der süßen Köstlichkeiten wird das Glückshormon Serotonin produziert.

4 _____

Schokoliebhaber gibt es überall auf der Welt. Spitzenreiter im Schokoladenessen sind die Schweizer: 12,4 Kilo isst jeder Schweizer pro Jahr. Danach folgen die Deutschen (11,4 kg), die Engländer (10,4 kg), die Belgier (10,1 kg), die Norweger (9,7 kg) und die Österreicher (8,2 kg). In Deutschland steigt die Zahl der feinen Schokoladenläden. Für Kinder gibt es eine ganze Reihe spezieller Produkte wie zum Beispiel das berühmte Kinderüberraschungsei.

b Welche Information aus den Texten ist für Sie am interessantesten?

Mich hat total überrascht, dass …   *Besonders interessant finde ich …*
Erstaunlich finde ich …   *Für mich war neu, …*   ▶ Ü 1

3 An welchen Fest- und Feiertagen verschenkt man
in Ihrem Land Schokolade?

In meinem Land verschenkt man zu Ostern keine …
Bei uns bekommen die Frauen am Valentinstag …
Zu Nikolaus …

4a Nomen im Plural. Schreiben Sie die Pluralendungen in die Tabelle. Wenn nötig,
helfen Ihnen die Texte in 2a. Ergänzen Sie dann die Pluralform der Beispiele.

TIPP Lernen Sie bei jedem neuen
Nomen neben dem Artikel auch
die Pluralendung mit.

-s	-(¨)∅	-(e)n	-(¨)e	-(¨)er

G

	Plural-endung	Welche Nomen?	Beispiel
1.	-(¨)∅	– maskuline Nomen auf -en/-er/-el – neutrale Nomen auf -chen/-lein	der Norweger – *die Norweger* _____ der Laden – _____
2.		– fast alle femininen Nomen (ca. 96 %) – maskuline Nomen auf -or – alle Nomen der n-Deklination	die Tafel – _____ die Tradition – _____
3.		– die meisten maskulinen und neutralen Nomen (ca. 70 %)	der Bestandteil – _____ der Einfluss – _____
4.		– einsilbige neutrale Nomen – Nomen auf -tum	das Kind – _____ das Dorf – _____
5.		– viele Fremdwörter – Abkürzungen – Nomen mit -a/-i/-o/-u am Wortende	der Schokoladenfan – _____

b Rund ums Essen: Bilden Sie den Plural.

der Kuchen – die Torte – die Zutat – das Restaurant – der Löffel – der Feinschmecker – der Kaugummi –
das Kaffeehaus – der Konsument – das Glas – die Mahlzeit – das Getränk – der Gast – der Ernährungstipp –
das Gericht – die Nachspeise – der Koch – die Süßigkeit – der Konditor   ▶ Ü 2–4

5 Stellen Sie im Kurs eine typische Süßigkeit oder Süßspeise aus Ihrem Land vor.

Das isst man an/zu …   *Das schmeckt nach …*   *Dafür braucht man …*   *Das macht man aus …*

Frisch auf den Tisch?!

1a Lesen Sie die Aussagen und kreuzen Sie Ihre Vermutungen an.
Vergleichen Sie mit Ihrem Partner / Ihrer Partnerin.

In Deutschland …

1. … kaufen die Menschen in Supermärkten ein.

☑ immer ☑ meistens ☐ selten

2. … ist der Preis der Lebensmittel für viele Kunden …

☑ am wichtigsten ☑ wichtig ☐ weniger wichtig

3. … achten viele Leute darauf, Bioprodukte zu kaufen.

☑ stimmt ☑ stimmt nicht *wider*

4. … macht fast jeder Haushalt einmal pro Woche
einen Großeinkauf.

☑ stimmt ☑ stimmt nicht

5. … werden viele Tiefkühlwaren und Fertiggerichte gekauft.

☑ stimmt ☑ stimmt nicht

6. … lesen die Kunden die Etiketten auf den Produkten.

☑ stimmt ☑ stimmt nicht

7. … wissen die Verbraucher, was wie viele Kalorien hat.

☐ wenige ☑ einige ☑ die meisten

8. … werfen die Bürger … Lebensmittel pro Woche weg.

☐ 500 g ☐ 1 kg ☑ mehr

▶ Ü 1

1.20

b Hören Sie den Radiobeitrag zum Thema „Rundum gesund". Waren Ihre Vermutungen in 1a richtig?

c Welche Informationen aus dem Beitrag waren neu für Sie? Sprechen Sie im Kurs.

d Arbeiten Sie in Gruppen. Antworten Sie für Ihr Land auf die Fragen in 1a. Notieren Sie die
Antworten und stellen Sie drei interessante Informationen (Unterschiede, Gemeinsamkeiten …)
im Kurs vor.

2a Sehen Sie das Foto an. Wofür wirbt diese Aktion?

1.21

b Thorsten hat sich im Internet über die Aktion „Zu gut für die Tonne" informiert. Er erzählt seinem Mitbewohner Hannes davon. Lesen Sie die Aussagen und hören Sie das Gespräch. Sind die Aussagen richtig oder falsch?

	richtig	falsch
1. Die Aktion wird von einem Verein durchgeführt.	☐	☑
2. Ein Viertel der Lebensmittel landet im Müll.	☐	☑
3. Auf der Homepage werden Rezepte angeboten.	☑	☐
4. Die Aktion schlägt vor, weniger einzukaufen.	☐	☑
5. Es gibt Tipps, wie man frische Lebensmittel schnell verbraucht.	☑	☐
6. Alle Informationen gibt es im Internet und als App.	☑	☐
7. Bekannte Persönlichkeiten unterstützen die Aktion.	☑	☐

3a Lesen Sie die Nachrichten und Kommentare im Forum zum Thema „Teller statt Tonne".
Welche Meinung teilen Sie (nicht)? Warum?

Sonia	15.07. | 16:30 Uhr Ich gestehe: Ich schmeiße Lebensmittel weg. Ich will nur frische Sachen essen. Und wenn ein Joghurt länger rumsteht, dann mag ich ihn nicht mehr.
Rudolf	13.07. | 12:56 Uhr Es gibt ja auch Verrückte, die holen noch gute Lebensmittel aus den Containern von Supermärkten und Brotfabriken. Aber offiziell ist das verboten. Und das ist doch total ekelig!
Familie Winter	09.07. | 18:12 Uhr Wir waren gerade bei der Aktion „Teller statt Tonne". Es ist nicht zu glauben, wie viele Lebensmittel im Müll landen! Wir waren schockiert!!! Jeder sollte verantwortungsvoll mit dem Essen umgehen. Jetzt wollen wir Aktionen in der Nachbarschaft machen und darüber informieren. Wer macht mit?
Sascha	23.06. | 22:46 Uhr Der eigentliche Skandal ist doch, dass Supermärkte gute Lebensmittel entsorgen, weil sie nicht mehr so schön aussehen und wegwerfen billiger ist als lagern. Das sollten die lieber an Leute, die wenig Geld haben, spenden.

▶ Ü 2

b Wählen Sie eine Nachricht aus und schreiben Sie eine Antwort.

Liebe Familie Winter, die Aktion finde ich gut, aber es sollte doch jeder …
Hallo Rudolf, vielleicht findest du die Sache ja verrückt. Trotzdem …

c Tauschen Sie sich in Gruppen aus. Wer vertritt die gleiche Meinung?

d Welche Tipps können Sie gegen Lebensmittelverschwendung geben? Sammeln Sie im Kurs.

▶ Ü 3

Lachen ist gesund

1 Wie oft lachen Sie am Tag? Wann haben Sie das letzte Mal herzhaft gelacht? Worüber?

2a Lesen Sie den Zeitungsartikel. Wählen Sie für jeden Abschnitt eine passende Überschrift.

D _benutzen_   Anwendung des Wissens in Kursen

A   Eine neue Wissenschaft _die_\c v

C   Längeres Leben durch Lachen

  Anmeldung zum Lach-Yoga

B _effect_   Auswirkungen des Lachens auf den Körper

A   Lachen in deutschen Sprichwörtern

Lachen ist gesund

A Der Volksmund vermutete schon immer: „Lachen ist gesund." Deswegen sagt man in Deutschland „Lachen ist die beste Medizin.", in Indien „Der beste Doktor ist das Lachen." und in Italien „Lachen macht
5 gutes Blut." Für diese Volksweisheiten gibt es längst wissenschaftliche Beweise und ein neues Fachgebiet, die Lachforschung (Gelotologie). Sie untersucht die positiven Auswirkungen des Lachens auf den menschlichen Körper.

10 **B** Lachen aktiviert im Körper eine große Anzahl von Prozessen, die Körper und Psyche positiv beeinflussen: So werden beim Lachen wertvolle Hormone für die Gesundheit gebildet. Zu diesen wichtigen Hormonen gehören sogenannte Endorphine. Sie wirken
15 gegen Depressionen und stärken das Immunsystem. Außerdem wird die Menge schädlicher Stresshormone im Blut geringer. Zudem kann ein Lachen, bei dem die Tränen fließen, ein perfekter Herzschutz sein, denn durch die Bewegung der Muskeln verbessert sich
20 auch die Durchblutung. Intensives Lachen verbraucht aber auch bis zu 50 Kilokalorien in zehn Minuten und kann eine Hilfe beim mühevollen Abnehmen sein.

C Während Kinder bis zu 400 Mal am Tag lachen, tun Erwachsene das im Durchschnitt nur
25 noch 15 Mal. Doch wer lacht, lebt nicht nur gesünder, sondern auch länger. Beim Lachen bewegt man nicht nur die meisten der 21 Gesichtsmuskeln, sondern insgesamt bis zu 300 Muskeln im ganzen Körper. Bei welchem anderen Sport passiert so etwas?
30 Für diese kurze Zeit des Lachens gerät der Körper in einen positiven Stresszustand, der unser Leben erfrischt und verlängert.

D Um die gesunde und therapeutische Wirkung des heftigen Lachens intensiver zu nutzen, hat der
35 indische Arzt Madan Kataria vor einiger Zeit das sogenannte Lach-Yoga entwickelt. Beim Lach-Yoga soll der Mensch über die motorische Ebene zum Lachen kommen: Ein anfänglich künstliches Lachen soll in ein echtes Lachen übergehen. Die Lach-Yogaübungen sind eine Kombination aus Klatsch-, Dehn-
40 und Atemübungen, verbunden mit pantomimischen Übungen, die zum Lachen anregen. Praktiziert werden sie in Lachclubs. Dort kann jeder mitmachen, Jung und Alt.

durchbluten
durchbluten

▶ Ü 1

b Notieren Sie aus dem Text, welche Auswirkungen Lachen haben kann.

Hormone werden gebildet, ...

c Arbeiten Sie zu zweit. Erklären Sie sich gegenseitig, warum Lachen gesund ist. Verwenden Sie Ihre Notizen aus 2b.

3a Ergänzen Sie die Adjektive im Text.

schädlicher	therapeutische	menschlichen	wissenschaftliche
gesunde	indische	beste	~~neues~~	perfekter

Die Gelotologie ist ein (1) _neues_ Fachgebiet, das sich mit den Auswirkungen des Lachens auf den

(2) _____ Körper beschäftigt. Ende der 60er-Jahre begannen Experten,

(3) _____ Beweise zu suchen, dass Lachen die (4) _____ Medizin ist.

Lachen verringert nicht nur die Menge (5) _____ Stresshormone, sondern ist auch

ein (6) _____ Herzschutz. Der (7) _____ Arzt Madan Kataria hat das Lach-

Yoga entwickelt, um die (8) _____ und (9) _____ Wirkung des

Lachens intensiver zu nutzen.

b Deklination der Adjektive. Ordnen Sie die Adjektive aus 2a mit den Nomen in die Tabelle.

G

	Typ I: mit bestimmtem Artikel	Typ II: mit unbestimmtem Artikel	Typ III: ohne Artikel
Singular		*ein neues Fachgebiet*	
Plural			

4 Erstellen Sie in drei Gruppen Lernplakate mit den Adjektivendungen im Singular und Plural. Jede Gruppe übernimmt einen Typ.

STRATEGIE | **Mit Plakaten lernen**
Mit einem Lernplakat kann man komplexen Lernstoff visuell darstellen. Mit Zeichen, Farben, Symbolen usw. kann man Zusammenhänge vereinfachen und hervorheben. ▶ Ü 2–6

5 Schreiben Sie eine kurze E-Mail an einen Freund / eine Freundin. Informieren Sie ihn/sie über den Zeitungsartikel aus 2a. Benutzen Sie möglichst viele Adjektive. Schreiben Sie zu folgenden Punkten:

- über welches Thema der Artikel berichtet
- warum Sie den Artikel interessant finden
- welche Erkenntnisse für Sie neu sind
- ob Sie einen Lach-Yoga-Kurs besuchen würden

Bloß kein Stress!

1a Sind Sie ein Frühaufsteher oder ein Nachtmensch? Fällt Ihnen das Aufstehen schwer oder springen Sie morgens fröhlich aus dem Bett? Berichten Sie.

b Wie sieht ein typischer Tag bei Ihnen aus? Notieren Sie Stichpunkte und vergleichen Sie mit einem Partner / einer Partnerin. Was ist gleich? Wo sind Unterschiede?

6 Uhr aufstehen, joggen, duschen, mit der S-Bahn zur Uni

Im Gegensatz zu Peter mache ich am Nachmittag immer …
Bei uns ist das ähnlich. Wir beide gehen um 8:30 Uhr …

Bei mir ist das ganz anders.
Während Peter abends …, mache ich …

c Wann können Sie am besten konzentriert lernen bzw. arbeiten? Wann sind Sie besonders müde?

2 Lesen Sie den Text und fassen Sie die Hauptaussagen mündlich zusammen.

Früher bestimmten Tag und Nacht, Licht und Dunkelheit den Alltag der Menschen. Wir entwickelten einen typischen Biorhythmus. Am Tag gab es ein Leistungshoch, an dem die Menschen aktiv waren, in der Nacht ein Leistungstief, in dem die Menschen schliefen und sich ausruhten. Seit der Erfindung der Glühbirne ist alles anders: Wir Menschen machen die Nacht zum Tag. Wir leben immer mehr gegen unseren Biorhythmus, denn die inneren Uhren lassen sich nicht einfach verstellen. Die Folge sind zu wenig Schlaf und Müdigkeit und immer mehr Fehler, Unfälle und Krankheiten.

3a Hören Sie einen Radiobeitrag zum Thema „Biorhythmus". Wann ist unsere Leistungsfähigkeit am höchsten? Notieren Sie.

1.22
▶ Ü 1

b Was macht man am besten wann? Hören Sie den Beitrag noch einmal und ergänzen Sie das Schema in Stichpunkten.

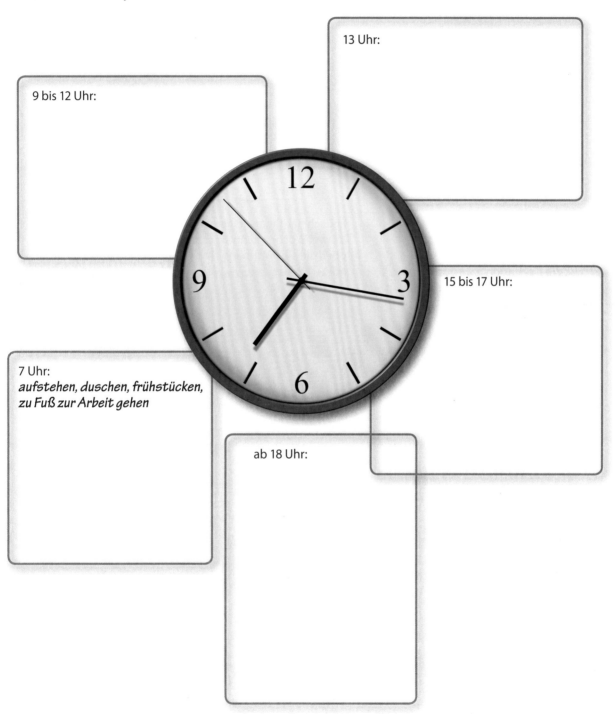

13 Uhr:

9 bis 12 Uhr:

15 bis 17 Uhr:

7 Uhr:
aufstehen, duschen, frühstücken, zu Fuß zur Arbeit gehen

ab 18 Uhr:

c Was halten Sie von den Empfehlungen? Vergleichen Sie mit Ihrem Tagesablauf.

Bloß kein Stress!

4a Sehen Sie sich die Fotos an und lesen Sie. In welcher Situation wären Sie besonders gestresst? Beschreiben Sie andere Situationen, in denen Sie sehr gestresst waren oder immer wieder sind.

Heute ist Ralfs erster Tag in der neuen Firma. Er kennt die neuen Kollegen nicht und auch die Arbeitsaufgaben sind neu für ihn.

Es ist 16 Uhr und Helena hat morgen um 9 Uhr eine wichtige Prüfung. Sie hat aber erst die Hälfte des Prüfungsstoffes gelernt.

Endlich hat Tatjana eine neue Wohnung gefunden. In zwei Wochen kann sie schon einziehen. Aber sie muss noch die alte Wohnung renovieren und einen Nachmieter finden.

Sven und Ute heiraten in drei Wochen und wollen ein großes Fest machen. Allerdings haben sie bis jetzt noch nichts organisiert.

b Arbeiten Sie in Gruppen und wählen Sie zwei Situationen aus. Was könnten die Personen tun? Vergleichen Sie Ihre Lösungsvorschläge im Kurs.

▶ Ü 2

Ralf sollte zuerst mit seiner Chefin reden und …
Tatjana kann eine Anzeige aufgeben und …

5 Wie kann man sich in Stresssituationen entspannen? Formulieren Sie zu zweit fünf Tipps.

Vor dem Schlafengehen ein Glas heiße Milch zu trinken hilft beim Einschlafen.
Ein langer Spaziergang ist ein gutes Mittel gegen Stress.

6a Lesen Sie den Beitrag im Stress-Forum. Welche Probleme hat Doris?

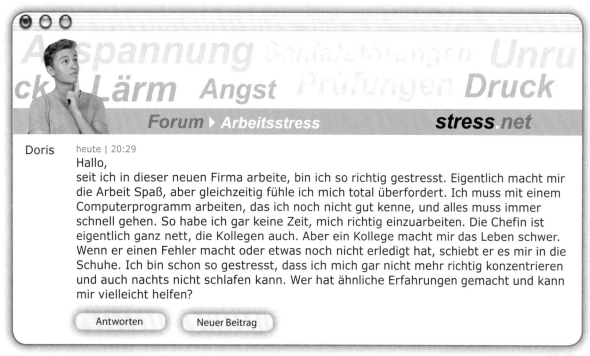

Doris heute | 20:29
Hallo,
seit ich in dieser neuen Firma arbeite, bin ich so richtig gestresst. Eigentlich macht mir die Arbeit Spaß, aber gleichzeitig fühle ich mich total überfordert. Ich muss mit einem Computerprogramm arbeiten, das ich noch nicht gut kenne, und alles muss immer schnell gehen. So habe ich gar keine Zeit, mich richtig einzuarbeiten. Die Chefin ist eigentlich ganz nett, die Kollegen auch. Aber ein Kollege macht mir das Leben schwer. Wenn er einen Fehler macht oder etwas noch nicht erledigt hat, schiebt er es mir in die Schuhe. Ich bin schon so gestresst, dass ich mich gar nicht mehr richtig konzentrieren und auch nachts nicht schlafen kann. Wer hat ähnliche Erfahrungen gemacht und kann mir vielleicht helfen?

(Antworten) (Neuer Beitrag)

SPRACHE IM ALLTAG

Im Deutschen gibt es viele Wendungen mit dem Wort „Stress":
Mach bloß keinen Stress.
Stress mich nicht!
Mein Tag war total stressig.

Bist du gestresst?
Lass dich nicht stressen.

b Sie wollen Doris antworten. Nummerieren Sie, in welcher Reihenfolge Sie am besten über die einzelnen Punkte schreiben.

___ Tipps geben   ___ über eigene Erfahrungen berichten   ___ Verständnis für Doris' Situation äußern

c Welche Redemittel passen zu welchem Gliederungspunkt?

Ich kann gut verstehen, dass …	An deiner Stelle würde ich …	Ich habe ähnliche Erfahrungen gemacht, als …
Es ist ganz natürlich, dass …	Mir hat … sehr geholfen.	Mir ging es ganz ähnlich, denn …
Es ist verständlich, dass …	Ich würde dir raten, …	Bei mir war das damals so: …

d Was wollen Sie schreiben? Notieren Sie Stichpunkte.

eigene Erfahrungen   Tipps
Start in einem neuen Job   *mit Chefin sprechen*
wenig Zeit für neue Aufgaben   *…*
…

e Formulieren Sie Ihren Beitrag. Hängen Sie dann alle Beiträge unter den Beitrag von Doris, sodass ein richtiges Forum entsteht. Wählen Sie einen weiteren Beitrag aus, auf den Sie antworten.   ▶ Ü 3

Lindt & Sprüngli
Eine Erfolgsgeschichte

Im Jahr 1845 beschlossen der Konditor David Sprüngli-Schwarz und sein Sohn Rudolf Sprüngli-Ammann, in ihrer kleinen Konditorei in Zürich Schokolade in fester Form herzustellen. Bis dahin konnte man in der deutschsprachigen Schweiz Schokolade nur trinken.

Die neue Schleckerei fand rasch den Zuspruch der feinen Züricher Gesellschaft, sodass man nach zwei Jahren die Schokoladenfabrikation in eine kleine Fabrik verlagerte und kurz darauf eine weitere große Konditorei eröffnete.

Als sich Rudolf Sprüngli-Ammann 1892 aus dem Berufsleben zurückzog, war er für die Qualität seiner Produkte bekannt und als Fachmann hoch angesehen. Seine Geschäfte teilte er unter den beiden Söhnen auf. Der jüngere David Robert erhielt die beiden Confiserien, die unter ihm und seinen Nachfolgern weltweit bekannt wurden. Dem älteren der Brüder, Johann Rudolf Sprüngli-Schifferli sprach der Vater die Schokoladenfabrik zu.

Der weitsichtige und risikofreudige Unternehmer vergrößerte zunächst die Fabrikanlagen und brachte sie auf den neuesten Stand der Technik. 1899 erbaute er eine neue Fabrik und erwarb die zwar kleine, aber berühmte Schokoladenmanufaktur von Rodolphe Lindt in Bern. Durch diesen Schritt gingen nicht nur die Anlagen, sondern auch die Fabrikationsgeheimnisse und die Marke von Rodolphe Lindt auf die junge Firma über. Lindt war der wohl berühmteste Schokoladenfabrikant seiner Zeit. Seine „Schmelzschokolade" wurde rasch berühmt und trug wesentlich zum weltweiten Ruf der Schweizer Schokolade bei. 1905 schieden Rodolphe Lindt und seine Verwandten aus der Firma aus.

Anfang des 20. Jahrhunderts stieg die Schokoladenproduktion enorm, besonders für den Export. An diesem Aufschwung hatte Lindt & Sprüngli kräftig Anteil. Allerdings führten die Wirtschaftskrisen der 20er- und 30er-Jahre nach und nach zu einem Rückgang des Absatzes im Ausland. Der Zweite Weltkrieg hatte zur Folge, dass Zucker und Kakao knapp waren. Lindt & Sprüngli überstand die Krisenzeiten.

Nach dem Krieg stieg die Nachfrage im In- und Ausland sofort wieder. Heute verfügt die Gruppe über Gesellschaften mit eigener Produktion in vielen Teilen der Welt. Lindt & Sprüngli ist seit 1986 an der Schweizer Börse gelistet. Die Anteile befinden sich überwiegend in schweizerischem Besitz.

Rodolphe Lindt

Rudolf Sprüngli-Amman

www   Mehr Informationen zu Lindt & Sprüngli.

Sammeln Sie Informationen über Persönlichkeiten aus dem In- und Ausland, die zum Thema „Gesundheit" interessant sind, und stellen Sie sie im Kurs vor. Sie können dazu die Vorlage „Porträt" im Anhang verwenden.

Beispiele aus dem deutschsprachigen Bereich: Sebastian Kneipp – Julius Maggi – Julius Meinl – Sarah Wiener – Marie Heim-Vögtlin

1 Pluralbildung der Nomen

	Plural-endung	Welche Nomen?	Beispiel
1.	-(´´)Ø	– maskuline Nomen auf *-en/-er/-el* – neutrale Nomen auf *-chen/-lein*	*der Norweger – die Norweger* *der Laden – die Läden*
2.	-(e)n	– fast alle femininen Nomen (ca. 96 %) – maskuline Nomen auf *-or* – alle Nomen der n-Deklination	*die Tafel – die Tafeln* *die Tradition – die Traditionen*
3.	-(´´)e	– die meisten maskulinen und neutralen Nomen (ca. 70 %)	*der Bestandteil – die Bestandteile* *der Einfluss – die Einflüsse*
4.	-(´´)er	– einsilbige neutrale Nomen – Nomen auf *-tum*	*das Kind – die Kinder* *das Dorf – die Dörfer*
5.	-s	– viele Fremdwörter – Abkürzungen – Nomen mit *-a/-i/-o/-u* am Wortende	*der Schokoladenfan – die Schokoladenfans*

2 Deklination der Adjektive

Typ I: mit bestimmtem Artikel

	der Körper	das Fachgebiet	die Wirkung	Körper (Pl.)
N	der menschlich**e**	das neu**e**	die therapeutisch**e**	die menschlich**en**
A	den menschlich**en**	das neu**e**	die therapeutisch**e**	die menschlich**en**
D	dem menschlich**en**	dem neu**en**	der therapeutisch**en**	den menschlich**en**
G	des menschlich**en**	des neu**en**	der therapeutisch**en**	der menschlich**en**

auch nach Fragewörtern: *welcher, welches, welche*; Demonstrativartikeln: *dieser, dieses, diese; jener, jenes, jene*; Indefinitartikeln: *jeder, jedes, jede; alle* (Pl.), Negationsartikeln und Possessivartikeln im Plural: *keine, meine*

Typ II: mit unbestimmtem Artikel

	der Körper	das Fachgebiet	die Wirkung	Körper (Pl.)
N	ein menschlich**er**	ein neu**es**	eine therapeutisch**e**	menschlich**e**
A	einen menschlich**en**	ein neu**es**	eine therapeutisch**e**	menschlich**e**
D	einem menschlich**en**	einem neu**en**	einer therapeutisch**en**	menschlich**en**
G	eines menschlich**en**	eines neu**en**	einer therapeutisch**en**	menschlich**er**

auch nach Negationsartikeln: *kein, kein, keine* (Sg.); Possessivartikeln: *mein, mein, meine* (Sg.)

Typ III: ohne Artikel

	der Körper	das Fachgebiet	die Wirkung	Körper (Pl.)
N	menschlich**er**	neu**es**	therapeutisch**e**	menschlich**e**
A	menschlich**en**	neu**es**	therapeutisch**e**	menschlich**e**
D	menschlich**em**	neu**em**	therapeutisch**er**	menschlich**en**
G	menschlich**en**	neu**en**	therapeutisch**er**	menschlich**er**

auch nach Zahlen: *zwei, drei, vier …*; Indefinitartikeln im Plural: *viele, einige, wenige, andere*

Wie schmeckt's denn so?

1 Lebensmittel und Farben. Sammeln Sie in Gruppen zu jeder Farbe möglichst viele Lebensmittel. Notieren Sie die Wörter mit Artikel.

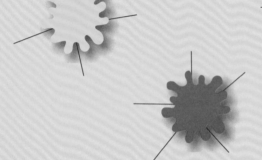

der Spinat

die Milch

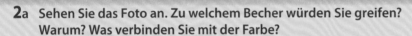

2a Sehen Sie das Foto an. Zu welchem Becher würden Sie greifen? Warum? Was verbinden Sie mit der Farbe?

b Sehen Sie die erste Filmsequenz und bringen Sie die Informationen über den Versuch in die richtige Reihenfolge. Vergleichen Sie dann mit einem Partner / einer Partnerin.

____ A In den Bechern ist immer das gleiche Getränk, es hat nur jeweils eine andere Farbe.

____ B Das ist der Beweis: Was wir sehen, ist stärker als das, was wir schmecken.

_1_ C Im Geschmackslabor testet man, wie unsere Augen mitentscheiden, ob etwas schmeckt oder nicht.

____ D Im Versuch probieren Kinder deshalb aus drei Bechern ein Getränk.

____ E Für die Lebensmittelindustrie ist das Ergebnis wichtig: Die Farbe muss zum Lebensmittel passen, sonst lehnen die Verbraucher das Produkt ab.

____ F Das Kind findet, dass das grüne Getränk wie Waldmeister schmeckt. Und Waldmeister ist grün.

____ G Der Forscher vermutet: Wenn wir ein Lebensmittel sehen, haben wir auch eine Erwartung daran, wie es schmeckt.

3 Sehen Sie die zweite Filmsequenz und machen Sie Notizen.

- Was schmeckt der Mann mit zugehaltener Nase?
- Was schmeckt er mit geöffneter Nase?
- Welche Geschmacksrichtungen kann die Zunge unterscheiden?
- Welche Konsequenzen zieht die Lebensmittelindustrie daraus?

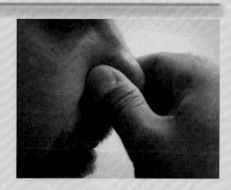

4a Aussehen – Geruch – Geschmack: Sammeln Sie in Gruppen möglichst viele Adjektive, mit denen man Lebensmittel beschreiben kann. Welche Gruppe findet die meisten Adjektive?

orange, oval, bitter, würzig ...

b Lebensmittel raten: Beschreiben Sie ein Lebensmittel möglichst genau. Die anderen raten.

Es ist grün, manchmal auch rot. Es riecht ..., es schmeckt ...

5a Die folgenden Sprichwörter sind durcheinander geraten. Was passt zusammen? Ordnen Sie zu.

1. Das Auge
2. Der Appetit kommt
3. Hunger ist
4. Essen und Trinken hält
5. Viele Köche

A der beste Koch.
B Leib und Seele zusammen.
C isst mit.
D verderben den Brei.
E beim Essen.

b Was bedeuten die Sprichwörter aus 5a? Sagt man das auch in Ihrer Sprache?

____ a Für das Wohlbefinden ist es wichtig, gut zu essen und zu trinken.

____ b Wenn man sehr hungrig ist, schmeckt jedes Essen.

____ c Man isst eine Speise besonders gern, wenn sie schön aussieht.

____ d Wenn zu viele Personen bei etwas mitentscheiden wollen, kann das Ergebnis nicht gut werden.

____ e Man muss beginnen, etwas zu tun. Nach einer Weile macht man es dann auch gern.

c Überlegen Sie sich Situationen, in denen man die Sprichwörter anwenden kann. Schreiben Sie kleine Dialoge und spielen Sie sie im Kurs vor.

Viel Spaß!

Sie lernen

Modul 1 | Einen Radiobeitrag über Freizeitgestaltung verstehen und über die eigene Freizeitgestaltung sprechen

Modul 2 | Ein Interview über Spiele verstehen und ein Spiel beschreiben

Modul 3 | Eine Abenteuergeschichte weiterschreiben

Modul 4 | Eine Filmbesprechung schreiben

Modul 4 | Informationen bei einer Stadtführung verstehen

Grammatik

Modul 1 | Komparativ und Superlativ

Modul 3 | Konnektoren: Kausal-, Konzessiv- und Konsekutivsätze

▶ AB **Wortschatz**

1 Beschreiben Sie die Fotos: Was machen die Leute? Wo auf der Welt wurden die Fotos vermutlich gemacht?

2 Welche Freizeitbeschäftigungen sind in Ihrem Land besonders beliebt? Wie viel Freizeit haben die Menschen dort durchschnittlich? Wann haben sie normalerweise Freizeit?

3 Bilden Sie Gruppen. Jede Gruppe notiert zehn Freizeitaktivitäten auf Kärtchen und gibt sie einer anderen Gruppe. Dann zieht eine Person ein Kärtchen und spielt die Aktivität vor. Die eigene Gruppe rät. Danach ist die nächste Gruppe dran. Welche Gruppe errät die meisten Aktivitäten?

Meine Freizeit

1a Arbeiten Sie zu zweit. Jeder wählt eine Grafik und nennt die interessantesten Informationen.

Ich finde es komisch, dass Paare weniger Freizeit …

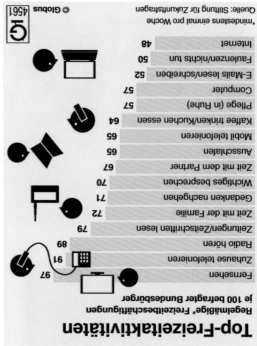

b Hören Sie den ersten Abschnitt eines Radiobeitrags. Was machen Männer öfter in ihrer Freizeit, was Frauen?

Männer: _____

Frauen: _____

c Lesen Sie die Aussagen. Hören Sie dann den zweiten Abschnitt und entscheiden Sie: Zu wem passt welche Aussage?

	Matti	Franka	Aaron	Ulrike
1. Ein tolleres Hobby als Tiere gibt es nicht.	☐	☒	☐	☐
2. Ich könnte mich besser entspannen, wenn ich nicht so viel fernsehen würde.	☐	☐	☐	☐
3. Am schönsten ist es, etwas mit der Familie zu unternehmen.	☐	☐	☐	☐
4. In meiner Freizeit sehe ich am liebsten Filme.	☐	☐	☐	☐
5. Wenn ich weniger arbeite, werde ich mich auch wieder intensiver um meine Hobbys kümmern.	☐	☐	☐	☐
6. Im Sommer bin ich viel aktiver als im Winter.	☐	☐	☐	☐
7. Seitdem wir keinen Fernseher mehr haben, unternehmen wir viel öfter etwas zusammen.	☐	☐	☐	☐
8. Für meine Freundin ist Sport die beste Entspannung.	☐	☐	☐	☐
9. Andere Länder kennenzulernen, finde ich die interessanteste Freizeitbeschäftigung.	☐	☐	☐	☐
10. Meine Kinder gehen genauso gern ins Kino wie ich.	☐	☐	☐	☐

d Hören Sie den zweiten Abschnitt noch einmal und machen Sie Notizen zur Freizeitgestaltung der Personen.

Matti: arbeitet viel, oft zu müde ...

e Bilden Sie Gruppen. Sagen Sie einen Satz über eine Person. Die anderen raten.

A: Diese Person möchte in Zukunft mehr unternehmen.
B: Das ist Matti.

▶ Ü 1

2a Komparativ und Superlativ. Markieren Sie in den Sätzen von 1c die Adjektive und ergänzen Sie die Regeln.

G

	steht nicht vor einem Nomen	steht vor einem Nomen
Komparativ	1. Adjektiv + Endung _____ 2. Einsilbige Adjektive: *a, o, u* wird meistens zu *ä, ö, ü* 3. Adjektive auf *-el* und *-er*: *-e-* fällt weg (*teuer – teurer*)	4. Komparative müssen dekliniert werden: *das interessant**er**e Hobby* *ein toll**er**es Hobby* 5. Ausnahmen: *Ich würde gern **mehr** Filme sehen.* *Jetzt habe ich noch **weniger** Zeit.*
Superlativ	1. *am* + Adjektiv + Endung _____ 2. Adjektive auf *-d, -s, -sch, -st, -ß, -t, -x, -z*: meistens Endung _____ (Ausnahme: *groß – am größten*)	3. Superlative müssen dekliniert werden: Adjektiv + *(e)st* + Kasusendung 4. *am* entfällt *das interessant**est**e Hobby* *mein lieb**st**es Hobby*

besondere Formen:

gut – _____ – am besten; gern – lieber – _____; viel – _____ – am meisten

Vergleiche mit *als/wie*

Grundform + _____: *Meine Kinder gehen (genau)so gern ins Kino _____ ich.*

Komparativ + _____: *Im Sommer bin ich viel aktiver _____ im Winter.*

▶ Ü 2–6

b Machen Sie ein Interview mit einem Partner / einer Partnerin. Berichten Sie anschließend im Kurs.

- Wie viel Freizeit hat er/sie und wann?
- Was macht er/sie am liebsten in der Freizeit?
- Was würde er/sie gerne öfter machen?

SPRACHE IM ALLTAG

Um den Superlativ noch mehr zu betonen, setzt man oft *aller-* davor:
*Dieser Film ist am **aller**schönsten.*
*Das ist der **aller**langweiligste Film.*

Superlative kann man auch durch Zahlen in eine wertende Reihenfolge bringen:
*Das ist der **zweit**schönste Film.*
*Wir gehen ins **dritt**größte Kino.*

 3 Wählen Sie eine Freizeitaktivität und recherchieren Sie das Angebot dazu an Ihrem Kursort. Berichten Sie im Kurs.

Hier gibt es drei große Schwimmbäder. Das größte liegt direkt am Stadtpark und hat täglich von 7 Uhr bis 23 Uhr geöffnet. Man kann dort außerdem ...

Spiele ohne Grenzen

1a Kennen Sie diese Spiele? Gibt es diese Spiele auch in Ihrem Land? Wie heißen sie bei Ihnen?

▶ Ü 1–2

b Spielen Sie gern? Was ist Ihr Lieblingsspiel? Welches Spiel ist in Ihrem Land besonders beliebt? Erzählen Sie.

2a Lesen Sie die Fragen aus einem Interview. Welche Antworten erwarten Sie? Überlegen Sie zu zweit und machen Sie Notizen.

- Ist den Menschen der Spieltrieb angeboren?
- Und warum spielen Erwachsene?
- Wie hat sich das Spielen entwickelt?
- Gibt es bei Spielen kulturelle Unterschiede?
- Können Sie beschreiben, wie sich der Spielemarkt in Deutschland entwickelt hat?
- Heute sind zwar Computer- und Onlinespiele sehr populär, aber immer in der Kritik. Was ist Ihre Meinung dazu?

Zwar...
aber

STRATEGIE

Hypothesen bilden

Lesen Sie bei einem Interview zuerst nur die Fragen und überlegen Sie, welche Informationen Sie zu den Fragen erwarten. Das hilft, den Text besser zu verstehen.

b Lesen Sie jetzt das Interview. Haben sich Ihre Hypothesen bestätigt? Welche Informationen waren neu?

Warum spielt der Mensch?
Warum ist es für so viele Menschen interessant, wenn 22 Männer einem Ball hinterherlaufen? Warum spielen Menschen stundenlang miteinander Skat? Warum legen wieder andere begeistert ein Puzzle?
5 Wir haben dazu die Soziologin Brigitte Schwarz befragt.

Ist den Menschen der Spieltrieb angeboren?
Ja, Kinder müssen spielen, um sich normal entwickeln zu können.
Durch das Spiel wird die Wahrnehmung geschult, die geistigen
Fähigkeiten bilden sich aus, auch die Motorik und das Sozialverhalten
10 entwickeln sich auf diese Weise. Wir lernen durch das Spiel unsere
Welt kennen.

Und warum spielen Erwachsene?
Aus Lust am Spiel, aus Tradition, um mit anderen zusammen zu sein
und um sich die Zeit zu vertreiben. Menschen spielen in ihrer Freizeit,
15 um sich zu erholen und um zu entspannen. Spielt man alleine, erfährt
man Ruhe. Spielt man zusammen mit anderen, erlebt man Geselligkeit
und Freundschaft. Manche Spiele haben Wettbewerbscharakter, die

Brigitte Schwarz, Soziologin

Spieler messen ihre körperlichen oder geistigen Fähigkeiten und vergleichen diese
miteinander.

20 *Wie hat sich das Spielen entwickelt?*
Spielkultur und Gesellschaftsspiele haben sich natürlich ständig weiterentwickelt. Heute
spielen wir so viel wie nie zuvor. Das ist vor allem auch eine Folge unseres Wohlstands. Die
Menschen früherer Epochen hatten einfach keine Zeit, so viel zu spielen. Wir verfügen heute
über viel mehr Freizeit und können uns deshalb auch dem Spielen widmen.

25 *Gibt es bei Spielen kulturelle Unterschiede?*
Spiele sind immer auch ein Spiegel der Gesellschaft. So wie sich unsere Sprachen und
Religionen unterscheiden, so unterscheiden sich auch unsere Spiele. Aber trotzdem haben
viele Spiele kulturelle und nationale Grenzen überschritten. Denken Sie nur an Backgammon
oder Schach.

30 *Können Sie beschreiben, wie sich der Spielemarkt in Deutschland entwickelt hat?*
Spieleklassiker sind bis heute Schach, Backgammon, Skat und Canasta. Daneben werden
Brettspiele aller Art angeboten: Kinder- und Erwachsenenspiele, Strategie-, Abenteuer-,
Science-Fiction- und Fantasyspiele. Damit die Nachfrage so groß bleibt, werden laufend neue
Spiele entwickelt.

35 *Heute sind zwar Computer- und Onlinespiele sehr populär, aber immer in der Kritik. Was ist
Ihre Meinung dazu?*
Gewaltspiele muss man natürlich immer kritisch sehen, aber es gibt ja mittlerweile auch
Bewegungsspiele und Spiele, die man mit Freunden oder der Familie zusammen spielen kann.
Generell kann man sicher sagen: Man sollte aufpassen, dass man nicht zu viel Zeit mit diesen
40 Spielen verbringt und sich in der virtuellen Welt verliert. Aber diese Spiele pauschal zu
verurteilen und für alles Mögliche verantwortlich zu machen, ist sicherlich auch nicht richtig.

c **Ergänzen Sie die Sätze mit den Informationen aus dem Interview.**

1. Spielen ist wichtig für die kindliche Entwicklung, … *Ja, motorik und sozialverhalten entwickeln*
2. Erwachsene spielen, … *Sie haben lust, tradition, wettbewerbscharakter*
3. Heute spielt man mehr, weil … *man hat mehr freizeit*
4. Spiele unterscheiden sich … *mit andere Sprachen und Kultur*
5. Auf dem deutschen Spielemarkt …
6. Bei Computerspielen sollte man darauf achten, …

▶ Ü 3

3 **Wählen Sie ein Spiel, das Sie gut kennen, und erklären Sie es. Diese Wörter helfen.**

die Spielfigur	Punkte sammeln
das Spielfeld	dran sein	der Würfel
der Stapel	ein Feld vorrücken/zurückgehen
der Joker	die Spielfigur ziehen	die Karte
die Karten mischen	eine Runde aussetzen
eine Karte ziehen/ablegen	würfeln

MauMau ist ein lustiges Spiel und das geht so: Zuerst bekommt jeder Spieler …

Abenteuer im Paradies

1a Lesen Sie die Überschrift und sehen Sie die Fotos an. Worum könnte es in diesem Text gehen?

b Lesen Sie nun den Text. Wo ist Lukas? Was macht er dort? Vermuten Sie.

Verloren im endlosen Grün

Lukas war nur kurz stehen geblieben, weil ihn irgendetwas in den Fuß gestochen hatte. Er beugte sich kurz runter, konnte aber nichts entdecken. Als er wieder aufsah, waren die anderen verschwun-

5 den. Eben waren sie doch noch da gewesen. Obwohl er nach ihnen rufen wollte, blieb er still. Er fand das lächerlich, denn weit konnten sie ja nicht sein und was sollte schon passieren. Er lauschte einen Moment, vielleicht konnte er sie ja hören.
10 Waren das nicht ihre Stimmen? Aber nein, er hörte nur Wasserrauschen und ein Durcheinander von merkwürdigen Geräuschen … Waren die Geräusche von Menschen – oder – waren es am Ende irgendwelche wilden Tiere?

15 Anfangs lachte er über seine Situation. Aber das Gehen auf dem sandigen Boden war anstrengend und die vielen grünen Blätter schlugen ihm ins Gesicht, sodass er sich bald nicht mehr wohlfühlte. Er dachte an seine Freunde. Eben waren sie noch zu
20 viert und jetzt musste er ohne sie zu ihrem Platz zurückfinden. Heute war sein Geburtstag, deshalb hatten sie am Morgen noch alle zusammen gefrühstückt und ihre Sachen für den Tag zusammengepackt. Dann waren sie gemeinsam aufgebrochen
25 und alle waren gut gelaunt. Und jetzt war er plötzlich alleine. Vielleicht sollte er nicht weitergehen, sondern einfach hier auf seine Freunde warten?

Sie würden ihn bestimmt suchen und ihm helfen. Aber wenn nicht? Langsam stieg Panik in ihm
30 auf, trotzdem atmete er ruhig weiter. Er merkte, dass er sich im Kreis bewegt hatte. Er war keinen Schritt weiter als vorher. Und dann hörte er …

c Schreiben Sie die Geschichte zu zweit zu Ende. Jedes Team liest oder spielt dann seine Geschichte vor.

nachdem schon	~~plötzlich bemerken/finden/hören/..~~	~~sich verstecken~~	~~im letzten Moment~~
kurz bevor	helfen	fühlen	~~erschrecken~~	verzweifelt suchen	weglaufen
verzweifeln	(lange) warten auf	sich bedanken	~~Angst bekommen~~	gerettet sein

▶ Ü 1–2

d Hören Sie **ein** mögliches Ende der Geschichte. Wo spielt sie?

1.28

2a Markieren Sie in den Sätzen mit Konnektor die Konnektoren, das Verb und das Subjekt.

1. Lukas war stehen geblieben, weil ihn irgendetwas gestochen hatte. *Grund*

2. Obwohl er nach ihnen rufen wollte, blieb er still. *Gegengrund*

✗ 3. Rufen fand er lächerlich, denn weit konnten sie ja nicht sein. *Gegengrund*

4. Das Gehen war anstrengend, sodass er sich bald nicht mehr wohlfühlte. *Folge*

5. Heute war sein Geburtstag, deshalb hatten sie zusammen gefrühstückt. *Folge*

6. Langsam stieg Panik in ihm auf, trotzdem atmete er ruhig weiter. *Gegengrund*

b Was drücken die Sätze mit Konnektor aus: Grund, Gegengrund oder Folge? Notieren Sie in 2a.

c Ordnen Sie die Konnektoren aus 2a in die Tabelle. **G**

	Grund (kausal)	**Gegengrund (konzessiv)**	**Folge (konsekutiv)**
Hauptsatz + Nebensatz	*weil*, obwohl	obwohl	so …, dass
Hauptsatz + Hauptsatz	denn	✗	✗
Hauptsatz + Hauptsatz mit Inversion (Verb direkt hinter dem Konnektor)	✗	trotzdem	darum, daher, deswegen, deshalb

d Arbeiten Sie zu zweit. Beginnen Sie einen Satz wie im Beispiel. Ihr Partner / Ihre Partnerin beendet den Satz. Wechseln Sie dann. Jeder sagt fünf Sätze.

Er liebt Abenteuergeschichten, deshalb …   … kauft er sich jede Woche ein neues Buch. Meine Mutter … ▶ Ü 3–8

3a Haben Sie selbst schon einmal ein Abenteuer erlebt? Schreiben Sie Ihre Geschichte oder schreiben Sie eine Geschichte zu einer der vier Zeichnungen. Verwenden Sie auch Konnektoren.

b Hängen Sie Ihre Geschichten im Kurs aus. Welche Geschichten gefallen Ihnen am besten?

Küchenschabe

Unterwegs in Zürich

1a Lesen Sie die E-Mail und machen Sie Notizen: Welche Vorschläge macht Gabi für den Freitagabend?

Liebe Sara

das freut mich sehr, dass du endlich Zeit hast, mich hier in Zürich zu besuchen. Ich hab auch schon ganz viele Ideen, was wir am Freitag noch machen können. Ich hol dich am Nachmittag um halb fünf am Bahnhof ab und dann fahren wir kurz zu mir.
Am Abend hätte ich Lust, ins Kino zu gehen (am liebsten in den Film „Was tun Frauen morgens um halb vier?") oder wir gehen ins Theater. Im Schauspielhaus gibt es zurzeit „Die Geschichte von Kaspar Hauser", kannst die Beschreibung des Stücks ja mal googeln.
Worauf ich auch noch Lust hätte, wäre, in die „Herzbaracke" zu gehen. Da gibt es ein lustiges Kabarett-Stück von Michaela Maria Drux, das Stück heisst „Zeitgeistkabarett". Das hört sich ziemlich witzig an. Die „Herzbaracke" ist übrigens sehr schön gelegen, in der Nähe vom Bellevueplatz, mitten im See.
Oder wir machen was ganz anderes und gehen in die „Lebewohlfabrik". Das ist ein Kultur-Club mit vielen Jazzkonzerten und Ausstellungen. Ich könnte Plätze für uns reservieren.
Oder wir bleiben einfach bei mir zu Hause. Dann koche ich uns was Nettes und wir können in Ruhe plaudern. Uns wird bestimmt nicht langweilig :-)
Kannst mir ja kurz Bescheid geben, worauf du Lust hast. Und am Samstag machen wir dann eine Stadtführung durch Zürich.

Ich freu mich sehr auf dich und schick dir ganz liebe Grüsse
Gabi

b Was interessiert Sie am meisten? Worüber möchten Sie mehr wissen oder was würden Sie am liebsten unternehmen?

▶ Ü 1

 2 Recherchieren Sie in Gruppen Informationen über das Schauspielhaus, die „Herzbaracke" oder die „Lebewohlfabrik" in Zürich. Präsentieren Sie Ihre Ergebnisse im Kurs.

Das ... gibt es seit ...
... wurde im Jahr ... gebaut/eröffnet.
Es liegt/ist in der ... Straße ...
Es ist bekannt für ...
Viele Leute schätzen das ... wegen ...
Auf dem Programm stehen oft ...
Hier treten oft ... auf.
Die Eintrittskarten kosten zwischen ... und ... Franken.

3a Welche Art von Filmen mögen Sie, welche nicht? Markieren Sie und vergleichen Sie Ihre Auswahl im Kurs. Finden Sie einen Kino-Partner / eine Kino-Partnerin.

> Krimi   Drama   Romanze   Science-Fiction   Animationsfilm   Komödie   Literaturverfilmung
> Western   Heimatfilm   Actionfilm   Dokumentation   Fantasy-Film   Kurzfilm   Zeichentrickfilm
> Horrorfilm

b Lesen Sie die Filmbesprechung zu „Was machen Frauen morgens um halb vier?". Um welche Art von Film handelt es sich?

Kino-Startseite ▸ Charts ▸ Neu im Kino ▸ Alle Filme ▸ Alle Kinos ▸ Demnächst

Was machen Frauen morgens um halb vier?

Deutschland 2012 / Laufzeit: 92 Min.
FSK 0
Regie: Matthias Kiefersauer
Schauspieler: Brigitte Hobmeier, Peter Lerchbaumer,
Muriel Baumeister u.v.m.

Der kleinen Bäckerei Schwanthaler in einem bayerischen Dorf droht das Ende: 120.000 Euro Schulden bei der Bank, ein billiger Back-Discounter eröffnet im Ort, dann bekommt der Chef vor lauter Stress einen Herzinfarkt. Seine Tochter übernimmt die Leitung der Bäckerei und kämpft für den Familienbetrieb. Sie fährt sogar bis nach Dubai und überzeugt die Scheichs dort vom traditionellen Christstollen.

Man sieht zwar deutlich, dass diese Produktion anfangs fürs Fernsehen konzipiert war. Das stört aber nicht weiter, denn die Schauspieler machen alles wett: Vor allem Brigitte Hobmeier als gestresste Franzi spielt hervorragend.

c Schreiben Sie eine kurze Filmbesprechung zu Ihrem Lieblingsfilm. Die Redemittel helfen Ihnen.

ÜBER EINEN FILM SCHREIBEN

Der Film heißt … / Der Film „…" ist eine moderne Komödie / ein Spielfilm / …

In dem Film geht es um … / Er handelt von … / Im Mittelpunkt steht …

Der Film spielt in … / Schauplatz des Films ist …

Die Hauptpersonen im Film sind … / Der Hauptdarsteller ist …

Die Regisseurin ist … / Den Regisseur kennt man bereits von den Filmen „…" und „…".

Besonders die Schauspieler sind überzeugend/hervorragend/…

Man sieht deutlich, dass … / … stört nicht, denn …

▶ Ü 2–3

4a Oder lieber ins Theater? An welche fünf Wörter denken Sie zuerst? Markieren Sie und vergleichen Sie im Kurs.

> der Schauspieler   die Langeweile   das Publikum   der Regisseur   die Musik
>
> die Arbeit   das Programmheft   die Spannung   die Unterhaltung   der Platzanweiser
>
> die Kleidung   das Bühnenbild   der Applaus   die Bühne   die Pause   der Sekt   die Garderobe

▶ Ü 4

b Arbeiten Sie zu zweit. Jeder liest einen Programmhinweis und überredet den anderen, das Stück gemeinsam anzusehen.

Wir könnten doch …   *Hast du (nicht) Lust …?*   *Ich fände es besser, wenn wir …*
Was hältst du von …?   *Lass uns doch lieber …*

Kaspar Hauser
Textfassung von Carola Dürr

Im Jahr 1828 taucht in Nürnberg ein unbekannter, etwa 17-jähriger junger Mann auf, der kaum sprechen kann. Keiner weiss, woher er kommt. Damit beginnt einer der bis heute geheimnisvollsten Kriminalfälle. Mühsam malt der junge Mann den Namen „Kaspar Hauser" auf ein Blatt Papier. Dieser Name steht für einen jahrelang einsam in der Wildnis lebenden Jungen, der von der Gesellschaft isoliert aufwächst. Erst als junger Mann lernt er richtig sprechen und schreiben. Als er fünf Jahre später ermordet wird, nehmen die Spekulationen über seine Herkunft kein Ende und dauern bis heute an.
Kaspar Hauser – ein Prinz, der aus dem Weg geräumt werden musste? Oder doch ein Betrüger, der eine verrückte Geschichte gespielt hat?

Von Mai bis Oktober im Schauspielhaus

Kaspar Hauser

Zeitgeistkabarett
von Michaela Maria Drux

Versprecher sind ihr Programm. Mit lustigen Wort-Verdrehern macht sich Michaela Maria Drux über das aktuelle Zeitgeschehen lustig.
Das Programm ist schnell, geistreich und immer aktuell. Und seien Sie gewiss, im Publikum sind Sie nicht sicher. Michaela Maria Drux geht durch die Reihen, schaut auch mal in Handtaschen und gibt einzelnen Zuschauern auch gerne Phantasienamen wie „Streifenhörnchen" oder „Neandertaler". Und natürlich ist auch das Thema Männer und Frauen ein Thema für sie …
Michaela Maria Drux ist in Tirol geboren und, wie sie sagt, „im Dirndlkleid neben dem Kölner Dom aufgewachsen". Heute lebt sie in Zürich und in Köln. Sie ist als Kabarettistin und als Zeichnerin aktiv.

Von Juli bis September in der Herzbaracke

Michaela Maria Drux

5a Haben Sie schon mal eine Stadtführung gemacht? Berichten Sie.

1.29

b Sara und Gabi machen eine Stadtführung. Hören Sie und wählen Sie bei jeder Aufgabe die richtige
Lösung a, b oder c.

1. Die Stadtführung beginnt …

   a am frühen Morgen.

   b mittags.

   c am späten Abend.

2. Der Stadtführer erzählt Geschichten …

   a aus der Gegenwart.

   b aus der Vergangenheit.

   c über Geld und Banken in Zürich.

3. Die Führung beginnt …

   a in der Kuttelgasse.

   b in der Kaminfegergasse.

   c in der Glockengasse.

4. Aufgabe der Nachtwächter war es, …

   a Brände zu löschen.

   b für Ordnung zu sorgen.

   c Leute für diesen Beruf zu finden.

5. Zerstrittene Ehepaare …

   a kamen ins Gefängnis.

   b verloren ihre Finger.

   c wurden sofort geschieden.

c Hören Sie die Stadtführung noch einmal und kontrollieren Sie Ihre Lösungen.

6a Wählen Sie eine Stadt, die Sie gut kennen. Recherchieren Sie fünf unterschiedliche Vorschläge für
ein Abendprogramm mit einem Freund / einer Freundin.

	Theater/ Oper/Ballett/ Lesung …	Kino/ DVD-Abend/ Open-Air …	Konzert/ Musikclub/ Festival …	Bar/Lokal/ Restaurant …	Ausstellung/ Museum/ Ausflug/Sport …
Wo?					
Wann?					
Preis?					
Beschreibung (Notizen)					

b Schreiben Sie einem Freund / einer Freundin eine E-Mail mit Vorschlägen für einen gemeinsamen
Abend.

Doris Dörrie *(* 26. Mai 1955)*

Regisseurin, Autorin, Produzentin

Doris Dörrie, 1955 in Hannover geboren, ist ein Allround-Talent: Sie ist nicht nur Regisseurin und Dozentin an der Filmhochschule, sondern auch Drehbuchautorin und Bestseller-Autorin. Nach dem Abitur ging sie 1973 in die USA

Nach ihrem Studium drehte sie verschiedene Dokumentationen und Filme und wurde 1985 mit der Komödie „Männer" quasi über Nacht berühmt. Mit über fünf Millionen Zuschauern war „Männer" einer der erfolgreichsten deutschen Filme. Weitere erfolgreiche Filme von Doris Dörrie sind zum Beispiel: „Happy Birthday, Türke", „Keiner liebt mich", „Kirschblüten – Hanami", „Die Friseuse" und „Glück".

Aber Dörrie macht nicht nur Filme, sondern schreibt auch sehr erfolgreich Kurzgeschichten, Erzählungen, Romane und Kinderbücher. Sie wird als eine der besten Erzählerinnen der deutschen Gegenwartsliteratur bezeichnet. Als Autorin debütierte sie 1987 mit dem Buch „Liebe, Schmerz und das ganze verdammte Zeug". Dann folgte „Was wollen Sie von mir?" und ihr Erzählband „Für immer und ewig", über den der Starkritiker J. Kaiser schrieb, man fände dort „mehr klügere, originellere und einleuchtendere Beobachtungen über die langen Schwierigkeiten zwischenmenschlicher Beziehungen … als bei irgendeinem anderen Autor aus Dörries Generation." Weitere erfolgreiche Bücher: „Bin ich schön?", „Was machen wir jetzt?" und „Alles inklusive".

Über Beschäftigungsmangel kann sich das Multitalent Doris Dörrie nicht beklagen. 2001 schlug sie sogar noch eine weitere Karriere ein und inszenierte an der Berliner Staatsoper Unter den Linden Mozarts „Cosi fan tutte". Seitdem hat sie eine Reihe von Opern an verschiedenen Theatern inszeniert.

Doris Dörrie
Alles inklusive

Roman · Diogenes

und studierte Theaterwissenschaft und Film. Zwei Jahre später kehrte sie nach Deutschland zurück und begann ihr Studium an der Münchner Hochschule für Fernsehen und Film. 1978 schloss sie ihre Ausbildung ab.

Für ihre vielseitigen Arbeiten wurde Doris Dörrie mehrfach ausgezeichnet. So erhielt sie beispielsweise das Bundesverdienstkreuz, mehrmals den Bayerischen Filmpreis und den Grimme-Preis.

www Mehr Informationen zu Doris Dörrie.

Sammeln Sie Informationen über Persönlichkeiten aus dem In- und Ausland, die für das Thema „Freizeit und Unterhaltung" interessant sind, und stellen Sie sie im Kurs vor. Sie können dazu die Vorlage „Porträt" im Anhang verwenden.

Beispiele aus dem deutschsprachigen Bereich: Elke Heidenreich – Moritz Bleibtreu – Josef Hader – Michelle Hunziker – Wolf Haas – Tom Tykwer – Caroline Link – Hannah Herzsprung

1 Komparativ und Superlativ

	steht nicht vor einem Nomen	**steht vor einem Nomen**
Komparativ	1. Adjektiv + Endung *er* 2. Einsilbige Adjektive: *a, o, u* wird meistens zu *ä, ö, ü* 3. Adjektive auf *-el* und *-er*: *-e-* fällt weg (*teuer – teurer*)	4. Komparative müssen dekliniert werden: *das interessantere Hobby* *ein tolleres Hobby* 5. Ausnahmen: *Ich würde gern **mehr** Filme sehen.* *Jetzt habe ich noch **weniger** Zeit.*
Superlativ	1. ***am*** + Adjektiv + Endung ***sten*** 2. Adjektive auf *-d, -s, -sch, -st, -ß, -t, -x, -z*: meistens Endung ***esten*** (Ausnahme: *groß – am größten*)	3. Superlative müssen dekliniert werden: Adjektiv + ***(e)st*** + Kasusendung 4. *am* entfällt *das interessanteste Hobby* *mein liebstes Hobby*

besondere Formen:
gut – besser – am besten
gern – lieber – am liebsten
viel – mehr – am meisten
hoch – höher – am höchsten
nah – näher – am nächsten
groß – größer – am größten

Vergleiche mit *als/wie*
Grundform + *wie*: *(genau)so gern wie ich*
Komparativ + *als*: *viel aktiver als du*

2 Konnektoren: Kausal-, Konzessiv- und Konsekutivsätze

Hauptsatz + Nebensatz: *Er ruft nicht um Hilfe, **obwohl** er Angst hat.*
Hauptsatz + Hauptsatz: *Nach Hilfe rufen war lächerlich, **denn** die Freunde waren nicht weit.*
Hauptsatz + Hauptsatz mit   *Heute ist sein Geburtstag, **deshalb** feiern sie zusammen.*
Inversion (Verb direkt hinter
dem Konnektor):

	Grund (kausal)	**Gegengrund (konzessiv)**	**Folge (konsekutiv)**
Hauptsatz + Nebensatz	weil, da	obwohl	so …, dass sodass
Hauptsatz + Hauptsatz	denn		
Hauptsatz + Hauptsatz mit Inversion		trotzdem	darum, daher, deswegen, deshalb

Funsport – Surfen auf der künstlichen Welle

1a Welche Freizeitaktivitäten kann man in einem Park in einer Großstadt unternehmen? Sammeln Sie im Kurs.

b Was verbinden Sie mit der Sportart Surfen? Notieren Sie zu zweit.

surfen

die Welle, -n

2 Lesen Sie den Artikel aus einer Reisezeitschrift über München und vergleichen Sie mit Ihren Ideen aus 1a.

Surfen in der Großstadt

Mit München verbinden die einen das Olympiastadion, die anderen berühmte Kunstsammlungen wie die der Alten und Neuen Pinakothek. Wieder andere denken bei der bayrischen Hauptstadt an das Hofbräuhaus und das Oktoberfest.

Bekannt ist auch der Englische Garten. Mit seinen mehr als 3,5 km² gehört er zu den größten innerstädtischen Parks der Welt. Hier kommt jeder auf seine Kosten: baumbestandene Wege laden zu ausgedehnten Spaziergängen ein, nach denen man sich in einem der fünf Biergärten bei einem Bier und bayrischen Spezialitäten stärken kann. Jogger und Radfahrer können im Park ungestört ihre Runden drehen, andere spielen Fußball, machen Yoga

oder Thai Chi. Auf den großen Wiesen kann man Frisbee spielen oder einen Drachen steigen lassen, am See ein Tretboot oder Ruderboot mieten. Nichts für jeden dagegen ist das Citysurfen auf dem Eisbach. Hier zeigen die Profis, was sie können – und sind schon längst zu einer weiteren Münchner Touristenattraktion geworden.

3a Sehen Sie jetzt den Film. Was erfahren Sie über das Surfen auf dem Münchner Eisbach? Machen Sie Notizen zu den folgenden Punkten und vergleichen Sie dann mit einem Partner / einer Partnerin.

Männer/Frauen:
Sicherheit:
Zuschauer:
Wetter/Jahreszeiten:

b Was bedeuten die Ausdrücke aus dem Film? Ordnen Sie zu.

1. ___ etwas nicht auf sich sitzen lassen
2. ___ den Kopf frei kriegen
3. ___ mit etwas Bekanntschaft machen
4. ___ es gelassen nehmen

a abschalten, sich entspannen
b sich nicht über etwas aufregen
c nicht akzeptieren, was andere über einen sagen
d mit etwas Unangenehmen in Kontakt kommen

c Sehen Sie den Film noch einmal und beantworten Sie die Fragen.

1. Seit wann surft Tanja Thaler auf dem Eisbach?
2. Welche Bedeutung hat das Surfen für sie?
3. Was macht Tanja Thaler in ihrem Alltag?
4. Was sagt sie zum Thema „Gefahr" beim Surfen?

4a Klären Sie mithilfe des Wörterbuchs die folgenden Begriffe. Streichen Sie, was Ihrer Meinung nach nicht zum Thema „Extremsport" passt. Begründen Sie Ihre Auswahl.

die Angst   die Spannung   die Gefahr   die Freiheit
der Mut   der Nervenkitzel   das Risiko
die Bewegung   die Ruhe   das Vergnügen
die Ausdauer   die Gelassenheit   die Vernunft
die Entspannung   die Erholung
die Nervosität   die Leistung   die Sucht
die Herausforderung   die Schwerelosigkeit
die Geselligkeit   der Spaß   die Gesundheit
die Routine   das Training
der Teamgeist   das Vertrauen
die Abwechslung   das Abenteuer
die Konzentration   die Kontrolle

b Kennen Sie andere Extremsportarten? Wo kann man sie machen? Was braucht man dazu?

c Was bewegt Menschen dazu, einen Extremsport zu machen? Haben Sie schon mal einen sehr gefährlichen Sport gemacht? Warum (nicht)?

5 Schreiben Sie für eine Reisezeitschrift einen Artikel über Sport- und Freizeitmöglichkeiten in Ihrer Region und präsentieren Sie ihn im Kurs.

Alles will gelernt sein

4

A Der „Ich-mache-alles-zusammen"-Typ: So sehen Tische von Menschen aus, die sich nicht entscheiden können, was sie eigentlich machen wollen. Arbeiten? Essen? Telefonieren? Hier kommt alles zusammen. Etwas Ordnung würde diesem Arbeitsplatz gut tun. Für alle Bedürfnisse ist er einfach zu klein.

5

B Der Perfektionist: Immer exakt, immer alles in einer Linie. So hat es der genaue Mensch gerne. Kein Stäubchen ist hier zu finden. Jeder Tag ist minutiös geplant, jeder Schritt ist gut überlegt, nichts ist dem Zufall überlassen. Unordnung ist dem Perfektionisten fremd, ja sogar ein Albtraum. „Weniger ist mehr" ist das Motto und das sieht man dem Schreibtisch auch an.

4

2

C Der kreative Typ: Hier lebt und arbeitet ein Augen- und Händemensch. Sein Platz darf alles sein, nur nicht langweilig und farblos. Das Spiel mit Farben und Formen fasziniert ihn. Und so lässt er sich auch gerne beim Lernen vom Bunten und Schönen ablenken, denn „alle Theorie ist grau".

D Der Hochstapler: Was du heute kannst besorgen, das verschiebe gleich auf morgen. Oder besser noch: auf übermorgen. Der innere Unwille gegen die nächste Aufgabe ist immer zu spüren. Und der lässt sich nicht verdrängen, aber sortieren. Ein Stapel hier, ein Haufen dort. Immer gut geordnet, die Dinge, die man längst erledigt haben sollte.

fertig machen

5

der stamm

3

E Der praktische Typ: Hier hat alles seinen Platz und trotzdem fehlt nichts. Das Erledigte ist abgeheftet, das Unwichtige ist weggeworfen. Das Wichtige wird gerade bearbeitet. Mit ein bisschen Musik macht die Arbeit auch richtig Spaß. Aber die Pausen vergisst der Praktiker auch nicht und gönnt sich gerne einen Kaffee, der schon griffbereit auf ihn wartet.

1a Sehen Sie die Fotos an. Wer arbeitet hier? Beschreiben Sie die Personen.

b Lesen Sie die Beschreibungen. Welcher Tisch passt zu welchem Typ?

2 Wo und wie lernen Sie? Welchen Tisch könnte man bei Ihnen zu Hause finden?

3 Was gefällt Ihnen an Ihrem Lernort? Was möchten Sie vielleicht ändern?

Lebenslanges Lernen

1a Die Volkshochschulen sind die bedeutendsten Weiterbildungszentren für Erwachsene in Deutschland. Lesen Sie die Kurstitel aus dem Programmheft einer Volkshochschule. Was kann man in diesen Kursen lernen?

> 1. Computer 70plus

> 2. Das Babysitterdiplom

> 3. Heimwerkerseminar

> 5. Existenzgründerseminar

> 4. Der gute Ton macht die Musik

Im Existenzgründerseminar kann man vielleicht lernen, wie man sich selbstständig macht.

b Ordnen Sie die Wörter mit Artikel den Kursen aus 1a zu.

die Ernährung *2*   das Benehmen 2   die Reparatur 3   das Internet 1

das Unternehmen 5   das Spiel 2   die Umgangsformen 5   die Software 1

die Renovierung 3   die Datei 1   die Bildbearbeitung 1   die Erste Hilfe 2

das Werkzeug 3   der Stil 4   die Buchführung 5   die Etikette 5/4

die Vorsorge 2   die Steuern 4   die Versicherung 2/5   der Virenschutz 2

c Welche Personen melden sich zu diesen Kursen an? Vermuten Sie.

Für das Existenzgründerseminar melden sich vielleicht Personen an, die sich selbstständig machen wollen.

2a Hören Sie ein Interview mit drei Kursteilnehmern. Notieren Sie die Gründe für den Kursbesuch.

1.30–32

· Business outfits

· email schreiben und verschenken
· internet surfen
· photos verschenken

· wie man kinder ...
· hielte
· kinder beschäftigen

Frank Seifert, 48 Jahre

Else Werner, 72 Jahre

Hanna Kramer, 15 Jahre

Kurstitel: Der gute Ton macht die Musik Computer 70plus Das Babysitterdiplom

Gründe: Sein Chef möchten Sie hat mit dem Internet sich ärgeren. Sie können besser Taschengeld verdienen

▶ Ü 1   **b** Hören Sie noch einmal. Was haben die drei Personen in den Kursen schon gelernt?

3a Hören Sie noch einmal Frank Seifert. Ergänzen Sie die Verben und Ausdrücke, die mit *zu* + Infinitiv stehen.

1.33

Ich arbeite jetzt schon sehr lange in einer großen Firma und _habe den Wunsch_, mich beruflich zu verbessern. Mein Chef _hat_ mir _empfehlen_, einen Kurs für gute Umgangsformen im Berufsalltag zu besuchen. Er meint, _es ist wichtig_, sich immer kompetent und höflich zu präsentieren.

b Infinitiv mit oder ohne *zu*? Kreuzen Sie an.

1. Ich habe vor, mein Englisch ☐ a auffrischen ☒ b aufzufrischen.
2. Du solltest unbedingt diesen Kurs ☒ a besuchen ☒ b zu besuchen.
3. Für mich ist es wichtig, möglichst schnell ☐ a lernen ☒ b zu lernen.
4. Ich habe die Absicht, den Fortsetzungskurs ☒ a buchen ☒ b zu buchen.
5. Ich werde eine Sprachprüfung ☒ a ablegen ☒ b abzulegen.
6. Es ist erforderlich, sich rechtzeitig ☐ a anmelden ☒ b anzumelden.
7. Es macht mir Spaß, mit anderen Sport ☒ a treiben ☒ b zu treiben.
8. Ich lasse mir die Teilnahme am Kurs ☒ a bestätigen ☐ b zu bestätigen.

c Ergänzen Sie die Tabelle mit Beispielen aus 3a und b. Sammeln Sie weitere.

zu + Infinitiv steht nach	Beispiele
1. bestimmten Verben	*vorhaben,* aufhören, ≠ anfangen
2. Adjektiv + *sein*	*wichtig sein,* es ist
3. Nomen + *haben/machen*	*Spaß machen,*

▶ Ü 2–5

4 Sehen Sie sich die Kurstitel an. Welchen Kurs / Welche Kurse würden Sie gern besuchen und warum?

WÜNSCHE AUSDRÜCKEN

Ich hätte Lust, …	Ich wünsche mir, …	Für mich wäre es gut, …
Ich hätte Zeit, …	Ich habe vor, …	Für mich ist es wichtig, …
Ich hätte Spaß daran, …	Ich würde gern …	

Ganzkörpertraining

Moderne Lerntechniken

Finanzbuchführung

Mein Tablet – mein mobiles Büro

Yoga und Entspannung

Männer kochen wie die Profis

Ich hätte Lust, noch besser kochen zu lernen. Darum würde ich den Kurs „Männer kochen wie die Profis" besuchen. ▶ Ü 6

Surfst du noch oder lernst du schon?

1 Welche Rolle spielt für Sie der Computer? Wie arbeiten Sie damit? Sammeln Sie sechs Fragen, beantworten Sie sie in Gruppen und stellen Sie Ihre Ergebnisse vor.

> *1. Wie oft benutzen Sie einen Computer?*
> *2. Wie viel Zeit …?*
> *3. …*

▶ Ü 1–2

2a Immer wieder wird über den Einsatz von digitalen Medien im Unterricht und beim Lernen diskutiert. Klären Sie zuerst die Begriffe im Kurs.

die Kompetenz	digital
das Netzwerk	sich ablenken lassen
süchtig sein nach	die Verantwortung
das Smartphone	die Motivation
sich einprägen	

b Lesen Sie nun die Stellungnahmen von zwei Medienexperten zum Thema digitale Medien im Unterricht. Unterstreichen Sie die Argumente.

SPRACHE IM ALLTAG

Die Sprache bei digitalen Medien ist „denglisch". Englische Wörter mit deutscher Grammatik:
*google**n** – hat **ge**google**t**;* ebenso: *chatten, surfen, downloaden;*
*der Link – die Link**s**, **ver**link**t**;*
*online **gehen**, online **sein***

Pro

Dr. Kristin Schröth,
Beauftragte Digitales
Lernen, Aachen

   Mit digitalen Medien können wir die ganze Welt ins Klassenzimmer holen. Ein großer Vorteil der digitalen Medien ist, dass man auch langweilige Inhalte motivierend und anschaulich darstellen kann. Un-
5 tersuchungen zeigen, dass dies besonders schwachen Schülern helfen kann. Ich bin der Ansicht, dass junge Menschen mit Tablets, Smartphones & Co. unter der richtigen Anleitung auch ganz nebenbei Medienkompetenz, Verantwortung und Selbstständigkeit lernen
10 können. Es ist logisch, dass die Kinder die Medien dann auch benutzen dürfen. „Heft vergessen" funktioniert als Ausrede heute nicht mehr, wenn Schüler die Hausaufgaben online abgeben. Schwere Bücher werden durch leichte Tablets ersetzt. Ein weiterer Aspekt
15 ist das leichtere Üben und Wiederholen von Inhalten. In Netzwerken können Schüler und Lehrer Übungen und Lernmaterial ganz einfach austauschen. Außerdem macht der jungen Generation die Arbeit mit diesen Medien Spaß. Und was Spaß macht, prägt sich
20 meiner Meinung nach leichter ein und bleibt länger im Gedächtnis.

Contra

Dr. Hannes Jausen,
Forschungsgruppe
„Schulmedien", Stuttgart

   Wie lautet der Satz des Pythagoras? Das kann man doch schnell googeln. Studien zeigen aber, dass ein schneller Blick ins Internet nicht immer eine gute
25 Idee ist: Wenn Schüler nur wenig Zeit für das Suchen nach Lösungen benötigen, dann können sie auf Dauer das selbstständige Denken verlernen. Es ist auch anzunehmen, dass das Lesen und Verstehen von längeren Texten und die persönliche Handschrift bei der
30 Nutzung der digitalen Medien leiden, denn es wird kaum noch mit der Hand geschrieben. Es stimmt zwar, dass man mit diesen Medien Daten im Unterricht schnell präsentieren kann, aber ich bin der Meinung, dass das Tempo für manche Schüler zu schnell
35 ist. Außerdem lassen sich die Schüler im Internet leicht ablenken. Auf den ersten Blick ist die digitale Welt groß und bunt. Ich finde es aber problematisch, dass einige Schüler fast schon süchtig nach den Medien sind. Das sollte die Schule nicht unterstützen. Und die
40 neuen Medien kosten Geld. Ich sehe da ein Problem, wenn der Besitz solcher Medien von der Schule vorausgesetzt wird.

3a Sammeln Sie die Argumente aus den Texten an der Tafel.

b Mit welchen Redemitteln argumentieren die Experten? Sammeln Sie und ergänzen Sie eigene Ausdrücke.

ARGUMENTE EINLEITEN

Ich bin der Ansicht, dass …

… zeigen, dass …

Es ist logisch, dass …

▶ Ü 3–4

4a Sind Sie für oder gegen digitale Medien im Unterricht? Schreiben Sie eine Stellungnahme zum Thema. Das Beispiel hilft.

STRATEGIE

Eine Stellungnahme schreiben
Schritt 1:
Sammeln Sie Argumente aus dem Text für Ihren Standpunkt.
Schritt 2:
Sammeln Sie weitere eigene Argumente.

Schritt 3:
Bauen Sie Ihren Text auf:
– Schreiben Sie, welche Ansicht Sie vertreten.
– Nennen Sie Ihr erstes, zweites, drittes … Argument.
– Schreiben Sie einen abschließenden Satz.

Einstieg	*Digitale Medien können wir heute überall im Alltag finden. Ich benutze einen Laptop und surfe täglich im Internet. Trotzdem finde ich den Einsatz von neuen Medien in der Schule problematisch.*
Argument 1	*Ein wichtiger Vorteil im normalen Unterricht ist, dass die Schüler in der Gruppe arbeiten und dass sie lernen, sich gegenseitig zu unterstützen. Am Computer sitzt jeder alleine.*
Argument 2	*Gerade in der Schule finde ich es sehr wichtig, dass alle die gleichen Chancen haben. Nicht alle Familien können sich Smartphones oder Laptops leisten. Was machen diese Kinder, wenn die Hausaufgaben in einer Mail stehen?*
Argument 3	*Außerdem finde ich den Faktor Zeit wichtig: Ich bin manchmal viele Stunden im Internet und lasse mich leicht ablenken. Ich glaube, bei Kindern ist es noch schlimmer.*
Schluss	*Sicher sollten Schüler das Lernen mit neuen Medien kennenlernen. Aber das kann die Schule in freien Stunden oder an Projekttagen anbieten.*

b Lesen Sie in Gruppen Ihre Stellungnahmen vor. Wer ist für, wer gegen digitale Medien im Unterricht? Welche neuen Argumente werden genannt?

c Sammeln Sie im Kurs Themen, zu denen es unterschiedliche Positionen gibt. Wählen Sie ein Thema und schreiben Sie eine Stellungnahme.

Stadt oder Land?   Wählen mit 16?   Studiengebühren?   Fleisch essen?   …

Können kann man lernen

1a Sehen Sie das Bild an. Was ist hier los?

1.34

b Hören Sie das Lied und ergänzen Sie die Lücken.

Da sitz ich wieder mal vor dir,
du leeres Stückchen _Papier_.
Da liegst du _weiß_ und bleich,
statt wörterreich[1]
5 und gar nicht voll.
Ich weiß nicht, ich weiß nicht,
was ich schreiben _soll_.

Das darf nicht wahr sein,
mir fällt kein Text ein.
10 Die Wörter kann ich nicht drängen.
Die Sätze lassen mich hängen[2].

Ich kann _Gramatik_ schon ganz gut.
Und auch beim Sprechen hab ich _Mut_.
Doch wenn's ums Schreiben geht,
15 ist bei mir alles, einfach alles, zu _spät_.

Das darf nicht wahr sein …

Heut' muss ich es _schafen_.
Ich mach' mich bald zum Affen[3].
Ich darf nicht _negativ_ denken,

20 darf keine Chance _verschenken_.
Ich will bestehen, will endlich besteh'n!
Dann kann ich neue _Wege_ gehen.

Das darf nicht wahr sein …

Du musst einfach locker bleiben[4].
25 Lass mal die Gedanken treiben[5].
Dann _können_ die Ideen blühen
und du brauchst dich nicht so mühen[6].
Erst ein _Wort_, dann zwei,
dann _Sätze_,
30 dann kommt der Text, ganz ohne Hetze[7].

Kann es denn wahr sein?
Mir fällt ein Text ein.
Jetzt will ich die Wörter schreiben,
will, dass die Sätze bleiben.

35 Jetzt kann ich dir nur raten,
du musst _einfach_ abwarten,
und wenn du meinst, nichts mehr zu wissen,
lass dich von der Muse küssen[8].

1. mit vielen Worten
2. jemanden nicht unterstützen
3. sich lächerlich machen
4. entspannt sein
5. an nichts Besonderes denken
6. sich anstrengen
7. ohne Eile
8. sich von etwas inspirieren lassen

▶ Ü 1   **c** Worum geht es im Lied? Waren Ihre Vermutungen aus 1a richtig?

d Welche Ratschläge können Sie für die Situation in dem Lied geben?

RATSCHLÄGE GEBEN			
Versuch doch mal, …	Da sollte man am besten …	Wenn ich du wäre, …	Man kann …
Ich kann euch nur raten, …	Am besten wäre es, …	An deiner Stelle würde ich …	Oft hilft …

2a Geschriebene und gesprochene Sprache. Vor einer Prüfung lesen Sie die Prüfungsordnung. Ihr Nachbar versteht sie nicht. Sie möchten es deshalb einfacher sagen. Schreiben Sie die Sätze 1–7 in a–g mit Modalverben.

> **Prüfungsordnung**
> 1. Wenn Sie <u>die Absicht haben</u>, an der mündlichen Prüfung teilzunehmen, melden Sie sich bitte an.
> 2. Bis zur Prüfung <u>sind Sie verpflichtet</u>, regelmäßig an einem Kurs teilzunehmen.
> 3. Bis zum 20.5. <u>hat es die Möglichkeit gegeben</u>, die Gebühr zu bezahlen.
> 4. Wenn Sie <u>nicht in der Lage sind</u>, die Prüfung zu schreiben, melden Sie sich vorher ab.
> 5. Für ein Zertifikat <u>ist es notwendig</u>, mindestens 120 Punkte zu erreichen.
> 6. <u>Es ist erlaubt</u>, ein Wörterbuch (Deutsch–Deutsch) zu benutzen.
> 7. <u>Es ist verboten</u>, in der Prüfung digitale Medien zu verwenden.

a) Wenn du _an der mündlichen Prüfung teilnehmen_ willst, _melde dich an_ .

b) _Bis zur Prüfung_ sollst du _regelmäßig an einem Kurs teilnehmen._

c) _Bis zum 20.5._ hast du _die Gebühr_ bezahlen können.

d) Wenn du _die Prüfung_ nicht _schreiben_ kannst, _melden dich vorher._

e) _Für ein Zertifikat_ musst du _mindestens 120 Punkte erreichen_ .

f) Du darfst _ein Wörterbuch benutzen_ .

g) In der Prüfung darfst du _digitale Medien_ nicht _verwenden_ . ▶ Ü 2

b Perfekt mit Modalverben. Vergleichen Sie zu zweit die Sätze und ergänzen Sie die Regel.

Präsens: Simon <u>kann</u> nicht an der Prüfung <u>teilnehmen</u>. Er ist krank.
Präteritum: Simon <u>konnte</u> nicht an der Prüfung <u>teilnehmen</u>. Er war krank.
Perfekt: Simon <u>hat</u> nicht an der Prüfung <u>teilnehmen können</u>. Er war krank.

Ⓖ

> **Modalverben**
>
> Modalverben brauchen im Perfekt immer das Hilfsverb _____.
>
> Modalverben bilden das Perfekt mit _haben_ + _____ + Infinitiv (Modalverb).
>
> Sie bilden kein _____. Wenn man über die Vergangenheit spricht,
>
> benutzt man die Modalverben meist im Präteritum.

Infinitiv
haben
Partizip

▶ Ü 3–5

c Regeln in der Sprachschule: Jede/r schreibt einen Satz wie in 2a auf eine Karte. Person A zieht eine Karte und liest vor, Person B formuliert den Satz um.

> _Man muss die Räume …_

> _Man darf in der Schule nicht rauchen._

> _Es ist verboten, in der Schule zu rauchen._

> _Sie sind verpflichtet, die Räume sauber zu hinterlassen._

Lernen und Behalten

1a Lesen Sie den Text. Um was für eine Art von Text handelt es sich?

Ein Fährmann gibt nicht auf

Ein Fährmann steht vor folgendem Problem: Er muss einen Fluss in einem kleinen Boot überqueren und dabei einen Wolf, ein Schaf und einen Kohlkopf ans andere Ufer bringen. Das Boot ist leider so klein, dass außer ihm immer nur ein Tier oder der Kohlkopf mit ins Boot passen. Dabei darf das Schaf nicht mit dem Kohlkopf allein bleiben, weil es ihn frisst. Ebenso frisst der Wolf das Schaf, wenn sie allein am Ufer zurückbleiben. Wie schafft der Fährmann es, alle auf die andere Seite zu bringen, ohne dass jemand dabei gefressen wird?

b Bilden Sie Gruppen und versuchen Sie, die Aufgabe zu lösen. Welche Gruppe schafft es zuerst?

Zuerst muss der Fährmann ... Dann ... Danach ... Schließlich ...

c Überlegen Sie, wie Sie die Aufgabe gelöst haben. Wie sind Sie vorgegangen? Was hat Ihnen bei der Lösung geholfen?

2a Was haben Sie schon alles vergessen? Sprechen Sie im Kurs.

Zahnarzttermin ...

1.35

b Hören Sie den ersten Abschnitt eines Radiobeitrags zum Thema „Gedächtnistraining". Machen Sie Notizen zu folgenden Punkten.

1. Was vergisst man oft im Alltag? _____
2. Was ist die Ursache dafür? _____
3. Was möchte der Bundesverband? _____
4. Was sind die Ziele des Programms? *flexibles Denken,* _____

_____

_____

1.36

c Hören Sie den zweiten Abschnitt des Beitrags, in dem Dr. Witt die Aufgabe des Fährmanns löst. Vergleichen Sie mit Ihrer Lösung.

d Dr. Witt spricht von zwei Lösungen für diese Aufgabe. Erklären Sie den anderen Lösungsweg.

▶ Ü 1–2 Hören Sie dazu den zweiten Abschnitt noch einmal.

3 Suchen Sie im Internet ähnliche Denkaufgaben. Präsentieren Sie sie im Kurs und lassen Sie die anderen raten.

4 Wie kann man am besten Wörter lernen? Lesen Sie die Tipps und formulieren Sie zu jedem Tipp Aufforderungssätze.

1 Manche Menschen lernen mehr, schneller oder besser, wenn sie etwas sehen, andere, wenn sie etwas hören, wieder andere, wenn sie es schreiben. Am besten ist es, mehrere Lernwege zu kombinieren: sprechen, schreiben, lesen, hören.

2 Die erste Wiederholung sollte 20 Minuten nach dem ersten Lernen erfolgen, denn nach dieser Zeit vergisst man besonders viel. Die zweite Wiederholung sollte nach zwei Stunden stattfinden. Da merkt man, welche Wörter im Kopf geblieben sind.

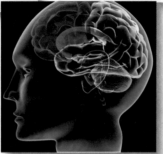

3 Viele betrachten es als Unsinn, die Wörter aufzuschreiben. Das Aufschreiben von Wörtern ist aber enorm wichtig. Man erspart sich viel Lernarbeit, wenn man sich beim Schreiben das Wort intensiv bildlich vorstellt.

4 Wichtig ist, dass man nicht immer die gleichen Wörter hintereinander lernt, sonst lernt man die Reihenfolge auswendig. Man sollte immer von der Fremdsprache in die Muttersprache und umgekehrt lernen. Nur einen Weg zu lernen, hilft nicht weiter.

5 Besser, als zu viele Vokabeln auf einmal zu lernen, ist es, kleinere Gruppen zu bilden und sie zeitlich gut zu verteilen. Ein Lerngesetz sagt: Den Anfang und das Ende einer solchen Gruppe merkt sich das Gedächtnis fast automatisch.

6 Gut ist, wenn man sich von seinen Freunden, seiner Familie usw. abfragen lässt. Die Wörter müssen durcheinander kontrolliert werden. Die Wörter, die man nicht kennt, notiert man auf einem Zettel und lernt sie dann noch einmal.

1. Lerne mit allen Sinnen! Kombiniere mehrere Lernwege!

5a Schreiben Sie anonym auf einen Zettel, welche Probleme Sie beim Lernen haben. Was ist für Sie schwierig? Sammeln Sie die Zettel ein.

> *Ich habe große Probleme damit, die Wörter richtig zu schreiben.*

b Lesen Sie die Lernprobleme im Kurs vor. Geben Sie Tipps, wie man diese Probleme lösen kann.

Ich sehe immer im Wörterbuch nach. Dann schreibe ich das Wort auf und spreche es mehrmals laut.   ▶ Ü 3

Lernen und Behalten

6a Was bedeutet Deutsch lernen? Legen Sie eine Mindmap an.

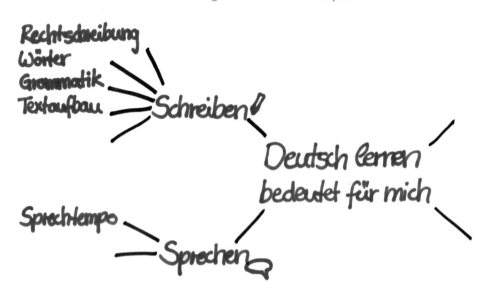

b Bearbeiten Sie in Gruppen je ein Teilthema aus 6a. Notieren Sie Stichpunkte.

| Welche Erfahrungen? | Welche Probleme? | Welche Tipps? |

c Ordnen Sie die Redemittel den Themen „Probleme", „Tipps" und „Erfahrungen" aus 6b zu. Kennen Sie noch weitere Redemittel?

… ist wirklich empfehlenswert. – Wir haben gute/schlechte Erfahrungen gemacht mit … – Für viele ist es problematisch, wenn … – Wir schlagen vor, … – Uns ging es mit/bei … so, dass … – Dabei sollte man beachten, dass … – … ist ein großes Problem. – Wir würden raten, … – Es ist besser, wenn … – Es ist immer schwierig, … – … macht vielen (große) Schwierigkeiten. – Sinnvoll/Hilfreich/Nützlich wäre, wenn … – Wir haben oft bemerkt, dass … – Es gibt viele Leute, die …

ÜBER ERFAHRUNGEN BERICHTEN	PROBLEME BESCHREIBEN	TIPPS GEBEN

d Schreiben Sie nun den Kursratgeber zu Ihrem Teilthema. Geben Sie Lerntipps und bearbeiten Sie auch folgende Punkte:

- Warum dieses Thema?
- Welche Schwierigkeiten? Welche Probleme?
- Eigene Erfahrungen mit diesen Problemen?
- Welche Tipps für andere Lernende? Welche Lösungsvorschläge?

▶ Ü 4   **e** Gestalten Sie die Ratgeber mit Farben, Fotos usw. und legen Sie sie im Kurs aus.

7a Lesen Sie die Aufgabe und geben Sie sie mit Ihren Worten wieder.

Ihr Deutschkurs ist bald zu Ende. Sie haben die Absicht, an einer Prüfung teilzunehmen, um ein Zertifikat zu erhalten. Aus diesem Grund wollen Sie sich gut auf die Prüfung vorbereiten. Überlegen Sie gemeinsam mit Ihrer Gesprächspartnerin / Ihrem Gesprächspartner, wie Sie sich am besten vorbereiten können.

Sie haben sich dazu schon einen Zettel mit Notizen gemacht.

> *Vorbereitung Deutschprüfung:*
> *– An welchen Tagen?*
> *– Uhrzeit?*
> *– Wo treffen?*
> *– Welches Material?*
> *– …*

b Ergänzen Sie die Notizen und notieren Sie, über welche Themen oder Teilthemen Sie noch sprechen wollen.

Wochentage: _____ Material: _____

Uhrzeit: _____ Treffpunkt: _____

_____ _____ _____ _____

c Überlegen Sie, welche Redemittel Sie für die Aufgabe benötigen. Sammeln Sie Beispiele in der Tabelle.

ETWAS PLANEN			
etwas vorschlagen	**zustimmen**	**ablehnen**	**Gegenvorschlag machen**
Ich würde vorschlagen, wir …	*Das ist eine gute Idee.*	*Das finde ich nicht so gut.*	*Sollten wir nicht lieber …?* *Es wäre bestimmt viel besser, wenn wir …*

d Führen Sie nun das Gespräch.

Was hältst du davon, wenn wir zusammen für die Prüfung lernen?

Das ist eine gute Idee. Wann hast du Zeit?

Porträt

Gerald Hüther ^(* 15. Februar 1951)

Interview mit dem Hirnforscher

Prof. Dr. Gerald Hüther zählt zu den bekanntesten Hirnforschern Deutschlands. Er ist Professor für Neurobiologie an der Universität Göttingen. Einem breiten Publikum ist Professor Hüther bekannt durch seine Sach- und Fachbücher zum Thema kindliche Entwicklung und Lernen. Darin fordert er ein Lernen, das die Begeisterung und Neugierde, die Kreativität und die Entdeckungslust von Kindern fördert.

Claudia Haase: Wie funktioniert Lernen aus der Sicht der Hirnforschung?
Gerald Hüther: Man kann Kinder durch Druck zwingen, sich bestimmtes Wissen anzueignen. Man kann ihnen auch Belohnungen versprechen, wenn sie besser lernen. So lernen sie aber nur, sich entweder dem Druck zu entziehen oder mit möglichst geringem Aufwand immer größere Belohnungen zu bekommen. Beide Verfahren zerstören genau das, worauf es beim Lernen ankommt: eigene Entdeckerfreude und Gestaltungslust. Diesen Lernzugang über die Eigenmotivation, nach dem Motto

„Erfahrung macht klug", suchen die Bildungseinrichtungen und die Eltern leider immer seltener. Kinder brauchen Zeit und Raum zum eigenen Entdecken und Gestalten. Das geschieht zum Beispiel beim Spielen. Deshalb ist Spielen allerhärteste Lernarbeit.

C. H.: Ist das eine neue Erkenntnis?
G. H.: Wie wenig das gegenwärtig in Wirklichkeit verstanden wird, erhärte ich gerne an einem anderen Beispiel: Singen wird auch gern als nutzloses und unwichtiges Fach angesehen und fällt im Unterricht mal schnell unter den Tisch. Aus der Sicht der Hirnforscher ist aber gerade Singen das beste Kraftfutter für Kindergehirne. In der Gemeinschaft muss man sich auf andere einstimmen, lernt also, sich auf andere Menschen einzustellen. Durch das Singen lernen Kinder, ihre Gefühle zum Ausdruck zu bringen. Eine Gesellschaft, die keinen Gesang mehr kennt, verliert somit auch die Kommunikationsform, in der sich die Menschen über ihre Gefühle verständigen.

C. H.: Was bedeutet das für die Schule? Müssen wir die neu erfinden?
G. H.: Unsere heute in die Kritik gekommene Schule ist ein logisches Produkt ihrer Entstehungszeit, dem Industrie- und Maschinenzeitalter. Da kam es in hohem Maße darauf an, dass man später fast so wie die Maschinen „funktionierte", seine Pflichten erfüllte und wenig Fragen stellte. Diese Art von Arbeit stirbt bei uns aber aus. Unsere Gesellschaft braucht dringend begeisterte Gestalter.

C. H.: Wie müsste ein Wunschpädagoge aus Ihrer Sicht sein?
G. H.: Das müsste jemand sein, der die Kinder und Jugendlichen mag. Der sie unterstützt und ihnen dabei hilft, ihre Potentiale zu entfalten. Wenig überraschend ist das fast identisch mit dem Zukunftsmodell, das auch für Manager wünschenswert wäre. Viele von uns hatten mehr oder weniger zufällig den einen oder anderen Lehrer mit dieser Begeisterung, eine solche souveräne Persönlichkeit. So jemand nimmt die Schüler ernst, ist voller Wertschätzung für sie. Da lernt man viel – ohne Druck und Dauerlob.

 www   Mehr Informationen zu Gerald Hüther.

Sammeln Sie Informationen über Persönlichkeiten aus dem In- und Ausland, die für das Thema „Lernen" interessant sind, und stellen Sie sie im Kurs vor. Sie können dazu die Vorlage „Porträt" im Anhang verwenden.

Beispiele aus dem deutschsprachigen Bereich: Johann Heinrich Pestalozzi – Kurt Hahn – Friedrich Wilhelm August Fröbel – Eugenie Schwarzwald – Helene Lange

1 Infinitiv mit und ohne *zu*

Infinitiv **ohne *zu*** nach:	Infinitiv **mit *zu*** nach:
1. Modalverben: *Er muss arbeiten.* 2. *werden* (Futur I): *Ich werde das Buch lesen.* 3. bleiben: *Wir bleiben im Bus sitzen.* 4. lassen: *Er lässt seine Tasche liegen.* 5. hören: *Sie hört ihn rufen.* 6. sehen: *Ich sehe das Auto losfahren.* 7. gehen: *Wir gehen baden.*	1. einem Nomen + Verb: *den Wunsch haben, die Möglichkeit haben, die Absicht haben,* *die Hoffnung haben, Lust haben, Zeit haben, Spaß machen …* → *Er hat den Wunsch, Medizin <u>zu</u> studieren.* 2. einem Verb: *anfangen, aufhören, beginnen, beabsichtigen, empfehlen, bitten,* *erlauben, gestatten, raten, verbieten, vorhaben, sich freuen …* → *Wir haben vor, die Prüfung <u>zu</u> machen.* 3. *sein* + Adjektiv: *wichtig, notwendig, schlecht, gut, richtig, falsch …* → *Es ist wichtig, regelmäßig Sport <u>zu</u> treiben.*

Nach manchen Verben können Infinitive mit und ohne *zu* folgen:

lernen:	*Hans lernt Auto fahren.*	*Hans lernt, Auto <u>zu</u> fahren.*
helfen:	*Ich helfe dir das Auto reparieren.*	*Ich helfe dir, das Auto <u>zu</u> reparieren.*

2 Modalverben: Tempus und Bedeutung

Präsens:	Simon <u>kann</u> nicht an der Prüfung <u>teilnehmen</u>. Er ist krank.
Präteritum:	Simon <u>konnte</u> nicht an der Prüfung <u>teilnehmen</u>. Er war krank.
Perfekt:	Simon <u>hat</u> nicht an der Prüfung <u>teilnehmen können</u>. Er war krank.

Die Modalverben bilden das Perfekt mit *haben* + Infinitiv + Infinitiv (Modalverb). Sie bilden kein Partizip. Wenn man über die Vergangenheit spricht, benutzt man die Modalverben meist im Präteritum.

Modalverb	Bedeutung	Alternativen (immer mit *zu* + Infinitiv)
dürfen	Erlaubnis	*es ist erlaubt, es ist gestattet, die Erlaubnis / das Recht haben*
nicht dürfen	Verbot	*es ist verboten, es ist nicht erlaubt, keine Erlaubnis haben*
können	a) Möglichkeit b) Fähigkeit	*die Möglichkeit/Gelegenheit haben, es ist möglich* *die Fähigkeit haben/besitzen, in der Lage sein, imstande sein*
möchten	Wunsch, Lust	*Lust haben, den Wunsch haben*
müssen	Notwendigkeit	*es ist notwendig, es ist erforderlich, gezwungen sein, haben*
sollen	Forderung	*den Auftrag / die Aufgabe haben, aufgefordert sein, verpflichtet sein*
wollen	eigener Wille, Absicht	*die Absicht haben, beabsichtigen, vorhaben, planen*

Hochbegabte Kinder

1a Wann lernen Kinder was? Ordnen Sie zu.

| lesen | schreiben | sprechen | laufen | sitzen | spielen | ein Instrument spielen | essen |

0 ┄┄┄ 1 ┄┄┄ 2 ┄┄┄ 3 ┄┄┄ 4 ┄┄┄ 5 ┄┄┄ 6 ┄┄┄ 7 ┄┄┄ 8 Jahre

b Wie wirkt dieses Mädchen auf Sie? Sammeln Sie Adjektive und beschreiben Sie das Mädchen.

konzentriert

Lotta, 7 Jahre

 2 Sehen Sie die erste Filmsequenz. Worum geht es?

 3a Sehen Sie die zweite Filmsequenz. Machen Sie Notizen zu den folgenden Punkten:

- Wie sind die Eltern auf Lottas Hochbegabung aufmerksam geworden?
- Wie haben die Eltern darauf reagiert? Wie haben sie sich gefühlt?
- Welche Folgen hat die Hochbegabung für Lotta?

b Welche weiteren Vor- oder Nachteile könnte Lotta durch ihre Hochbegabung haben?

4a Ergänzen Sie die Ausdrücke zum Thema „Lernen". Was bedeuten sie genau? Klären Sie – auch mithilfe des Wörterbuchs – die Bedeutung.

1. sich selbst etwas _____

2. Unterricht in etwas _____

3. _____ und etwas herausfinden

4. etwas auswendig _____

| können | beibringen | bekommen |
| | probieren | |

b Welche Wörter und Ausdrücke stehen für „intelligent"? Welche bedeuten das Gegenteil?

nicht auf den Kopf gefallen sein – schlau – dumm – klug – clever – dämlich – begabt – unbegabt – talentiert – gescheit – beschränkt – aufgeweckt – doof – eine lange Leitung haben – scharfsinnig – geistreich – blöd – schwachsinnig – wissbegierig

5a Sehen Sie die dritte Sequenz. Wer könnte was sagen?
Ordnen Sie die Aussagen den Personen zu.

1. Ich übe nur noch Klavier, wenn Lotta nicht da ist.
2. Musik gehört zu meinem Leben.
3. Wir müssen Lotta ständig fördern, damit sie sich nicht langweilt.
4. Mir ist egal, wie alt meine Freunde sind.
5. Es ist manchmal nicht einfach, auf alle ihre Fragen eine Antwort zu geben.
6. Manchmal ärgert sie mich damit, dass sie so viel besser ist.

A

_____

B

_____

C

_____

b Wie geht die Familie mit Lottas besonderen Fähigkeiten um? Welche Probleme gibt es?

6 Wie stellen Sie sich Lottas Leben als Jugendliche und als junge Erwachsene vor?
Wählen Sie zu zweit oder in Gruppen einen Textanfang und schreiben Sie ihn zu Ende.

> *5. Mai*
> *Gestern New York, heute Tokyo … Ein Leben ohne meine Geige – das kann ich mir nicht vorstellen …*

> Lokales_____April 2020
> ## Mit 15 Jahren schon an der Universität
> **München.** Die jüngste Studentin

>
> Liebe Carola,
> vielen Dank für deine E-Mail! Tut mir leid, dass ich erst jetzt antworte … Aber du weißt ja, ich habe seit Kurzem einen neuen Job als …

Leute heute

Vor dem Start: Erinnern Sie sich? Diese Übungen bereiten Sie auf das Kapitel vor.

 1a Über mich selbst berichten. Welche Wörter passen zu welchen Themen?

die Partnerin ~~die Lehre~~ der Sport reisen
geschieden die Fremdsprache die Firma
lernen bauen der Ehemann sammeln
das Apartment die Mietwohnung der Job
die Fabrik arbeiten als ... das Haus
die Nachbarn das Büro der Verein die Stadt
getrennt die Ehefrau der Single Teilzeit
die WG (Wohngemeinschaft) alleinerziehend
das Dorf der Garten fernsehen die Eltern
der Sohn (ausgehen) verheiratet Vollzeit
die Tochter lesen
das Kind die Arbeitsstelle
die Musik etwas im Internet posten
im Internet surfen das Studium die Kollegen
das Hobby
die Freunde (der Betrieb) die Schule
(faulenzen) der Partner das Instrument

1) Ausbildung/Arbeit	**2) Familie**	**3) Wohnen**	**4) Freizeit**
die Lehre Vollzeit	der Partner getrennt	das Dorf	der Sport lesen
die Firma	die Partnerin alleiner-	die Nachbarn	reisen
der Job das Studium	der Sohn ziehend	die WG	fernsehen
das Büro die Schule	die Eltern	das Apartment	etwas im Internet posten
die Fabrik	das Kind	die Mietwohnung	das Instrument
die Kollegen	geschieden	die Stadt	bauen
arbeiten als	die Tochter	das Haus	sammeln
die Arbeitsstelle	verheiratet	der Garten	das Hobby
?lernen	der Single		die Freunde
der Verein	der Ehemann		im Internet surfen
Teilzeit	die Ehefrau		die Musik
			die Fremdsprache

b Ergänzen Sie vier Begriffe zu jedem Thema.

c Schreiben Sie zu jedem Thema einen Satz über sich selbst.

1) Ich bin im Studium.

2) Ich bin ein Einzelkind und ich bin ein Single.

3) Ich wohne in einem Apartment in eine Große Stadt mit eine Gastfamilie.

4) In meiner Freizeit mag ich Sport spielen, z.B. spiele ich golf.

2a Auf den ersten Blick: Ordnen Sie den Personen spontan Eigenschaften aus dem Kasten zu.

charmant	~~ruhig~~	unsicher	witzig	ehrgeizig *ambitious*	gebildet *educated*	~~geduldig~~ *patiently*	ehrlich	~~selbstbewusst~~ *self confident*	offen

~~kreativ~~ hilfsbereit ~~freundlich~~ arrogant ~~zufrieden~~ ~~schüchtern~~ ~~zuverlässig~~ verantwortungsbewusst
satisfied *shy* *trustworthy* *responsible*

Nr. 1 _ruhig, unsicher, schüchtern_   Nr. 4 _Kreativ, zufrieden_

Nr. 2 _charmant, gebildet, zufrieden_   Nr. 5 _freundlich, offen, geduldig, zuverlässig_

Nr. 3 _witzig, ehrlich_   Nr. 6 _arrogant, selbstbewusst_

b Wie heißen die Nomen? Ergänzen Sie die Liste.

1. charmant	_der Charme_	9. geduldig	_die geduld_
2. ruhig	_die ruhe_	10. freundlich	_die freundlichkeit_
3. unsicher	_die Unsicherheit_	11. kreativ	_die Kreativität_
4. witzig	_der Witz_	12. zuverlässig	_die Zuverlässigkeit_
5. ehrgeizig	_der Ehrgeiz_	13. offen	_die offenheit_
6. ehrlich	_die ehrlichkeit_	14. hilfsbereit	_die Hilfsbereitshaft_
7. schüchtern	_die Schüchternheit_	15. zufrieden	_die Zufriedenheit_
8. selbstbewusst	_das selbstbewussin_	16. verantwortungsbewusst	_die Verantwortungbewussein_

c Zu welchen Adjektiven kennen Sie das Gegenteil? Notieren Sie.

unsicher – sicher ...

Gelebte Träume

1a Hören Sie den Dialog und notieren Sie. Welche Träume haben Pia und Max?

Pia: _____ Max: _____

b Hören Sie noch einmal. Welche Verben verwenden Pia und Max in Zusammenhang mit „Träumen"? Notieren Sie.

1. sich einen Traum _____ 3. einen Traum _____

2. einen Traum _____ 4. einen Traum _____

2a Finden Sie je ein passendes Verb und notieren Sie alle Formen wie im Beispiel.

studierte   ~~hat genommen~~ *(has taken)*   sein   ~~verdienen~~ *(to earn)*   ~~wuchs auf~~ *(grw up)*   ~~aufgeben~~ *(to give up)*   hat geträumt
wurde *(has been)*   ~~machte~~   ~~hat eröffnet~~ *(has opened)*

	Infinitiv	Präteritum	Perfekt
1. eine Ausbildung	*machen*	*machte*	*hat gemacht*
2. eine Praxis	eröffnen	eröffnete	hat eröffnet
3. in einem Dorf	aufwachsen	wuchs auf	ist aufgewachsen
4. von einer Karriere	träumen	träumte	hat geträumt
5. Tanzunterricht	nehmen	nahm	hat genommen
6. Profifußballer	werden	wurde	ist geworden
7. Geschichte	studieren	studierte	hat studiert
8. einen Traum	aufgeben	gab auf	hat aufgegeben
9. den Lebensunterhalt	verdienen	verdiente	hat verdient
10. erfolgreich	sein	war	ist gewesen

(margin notes: KM, matura, from winner career, dancing lessons, senator, KM, Beate, livelihood, successfully, RM)

b Traumberuf. Ergänzen Sie die Verben im Perfekt.

1. Ein Leben als Künstlerin war immer mein Traum, deshalb __habe__ ich auch Kunst __studiert__ (studieren). Aber leider __habe__ ich mit meinen Bildern nicht genug Geld zum Leben __verdient__ (verdienen). Mein Onkel __hat__ mir dann __angeboten__ (anbieten), in seiner Firma zu arbeiten. Das __habe__ ich dann ungefähr für ein Jahr __gemacht__ (machen), aber diese Arbeit __hat__ mir überhaupt nicht __gefallen__ (gefallen). Also __habe__ ich mich __entschlossen__ (entschließen), als Kunstlehrerin zu arbeiten. Das macht mir wirklich Spaß und kommt meinem Traumberuf ziemlich nahe.

2. Zuerst __habe__ ich eine Ausbildung zum Bankkaufmann __angefangen__ (anfangen). Aber das war nicht das Richtige für mich. Also __bin__ ich erst mal für zwei Jahre ins Ausland __gegangen__ (gehen) und __habe__ dort in einem Hotel __gearbeitet__ (arbeiten). Das ist mein Traumberuf! Jetzt __habe__ ich mir eine Lehrstelle zum Hotelkaufmann __gesucht__ (suchen).

c **Wo passt welches Verb? Ergänzen Sie das Partizip II.**

| verbringen | fahren | erholen | passieren | lesen | fliegen |
| | | bestehen | machen | besichtigen | segeln |

visit

sailing

Liebe Sara,

ich muss dir unbedingt berichten, was in den letzten Wochen (1) _____ ist.

Du weißt ja, dass ich meine Abschlussprüfung (2) _____ habe. Und dann

haben Dani und ich eine große Reise (3) _____. Zuerst sind wir mit dem Zug

nach Kroatien (4) _____ und dort sind wir zwei Wochen lang vor der Küste

mit einem Schiff (5) _____. Das war wirklich traumhaft!

Dann haben wir zwei Wochen auf einer griechischen Insel (6) _____.

Wir haben uns so richtig (7) _____ und viele Bücher (8) _____.

Danach hatten wir wieder genug Energie für Istanbul! Eine Woche nur Kultur und gutes Essen!

Ich glaube, wir haben alle Sehenswürdigkeiten (9) _____, die es in Istanbul

gibt ☺. Als wir dann nach Hause (10) _____ sind, waren wir müde,

aber glücklich. Ein richtiger Traumurlaub! Und wie war dein Sommer? Melde dich bald und

erzähl mir alles!

Liebe Grüße

Anna

3a **Traumberuf Schauspieler/in. Ergänzen Sie in den Kurzbiografien auf dieser und der nächsten Seite die Verben im Präteritum.**

Christiane Paul __kam__ 1974 in Ost-Berlin zur Welt. Ihre Eltern — kommen

__waren__ beide Ärzte. Mit 16 Jahren __nahm__ sie — sein, teilnehmen

an einem Modelwettbewerb __teil__ und __jobbte__ — jobben

in der Folgezeit als Model für Teenie-Zeitschriften. 1991

__begann__ ihre Schauspielkarriere mit dem Film „Deutsch- — beginnen

fieber". Seitdem __spielte__ sie in zahlreichen Fil- — spielen

men. Außerdem __studierte__ Christiane Medizin und — studieren

__promovierte__ 2002. Den Arztberuf __gab__ sie — promovieren, auf-

allerdings für die Schauspielerei __auf__. Christiane Paul — geben

engagiert sich für viele soziale Projekte und lebt mit ihren Kin-

dern in Berlin.

Klaus Maria Brandauer (22. 06. 1943 Steiermark, Österreich)

_____ bei seinen Großeltern in Österreich _____. aufwachsen

Später _____ er mit seinen Eltern in Deutschland. leben

Nach dem Abitur _____ er an die *Stuttgarter Hoch- gehen

schule für Musik und Darstellende Kunst*. Nach zwei Semestern

_____ er die Schule allerdings ohne Abschluss. verlassen

Sein Debüt als Schauspieler _____ er 1963 am haben

Theater Tübingen. Es _____ zahlreiche Filme und folgen

Theaterproduktionen. Brandauer _____ mit nahe- arbeiten

zu allen namhaften Regisseuren zusammen. Auch in den USA

_____ er sich einen Namen und _____ machen, gewinnen

viele amerikanische Filmpreise. Neben seiner Tätigkeit als

Schauspieler _____ er auch selbst immer wieder führen

Regie. Brandauer lebt in Wien und New York.

b Bringen Sie die Ausdrücke in eine sinnvolle Reihenfolge. Schreiben Sie dann eine Biografie im Präteritum zu einer Fantasie-Person. Denken Sie sich auch Namen und Orte aus.

_____ 1975 zur Welt kommen   _____ das Studium beenden

_____ das Abitur machen   _____ heiraten

_____ in einem Architekturbüro arbeiten   _____ mit Freunden ein Café eröffnen

_____ einen neuen Job in … finden   _____ Architektur studieren

_____ arbeitslos werden   _____ umziehen nach …

_____ sich scheiden lassen   _____ ein Jahr im Ausland verbringen

_____ ein Kind bekommen   _____ …

4 Was ist vorher passiert? Lesen Sie die Sätze und schreiben Sie je einen Satz im Plusquamperfekt dazu.

1. Belinda weinte. *Ihr Freund hatte sie verlassen.*
2. Anton war glücklich. Er hatte ein neues Auto gekauft.
3. In der Wohnung herrschte Chaos. Die Kinder hatte viel Zucker gegessen.
4. Peter trank eine ganze Flasche Wasser. Peter war durstig weil Er hatte sport gemacht.
5. Der Computer funktionierte nicht mehr. Alhalí hatte Kaffee verschuttet.
6. Ich kam erst morgens nach Hause. Ich musste mich umgezogen.
7. Er kam mit einem riesigen Blumenstrauß. Er hatte eine neue Freundin gefunden.
8. Die Feuerwehr stand vor dem Haus. _____
9. Fabian rief mich überglücklich an. Er hatte ein eins auf dem Prüfing gemacht.

1a Es gibt verschiedene Ausdrücke für Freundschaft, die die unterschiedliche Intensität der Beziehung beschreiben. Ordnen Sie die Ausdrücke ein.

~~der beste Freund~~ – ~~der entfernte Bekannte~~ – ~~der gute Bekannte~~ – ~~der gute Freund~~ – ~~der enge Freund~~

der entfernte Bekannte — der gute Bekannte — *der Freund* — der gute Freund — **der dicke Freund / der enge Freund** — der beste Freund

b Welche Ausdrücke für Freundschaften gibt es in Ihrer Sprache? Notieren Sie.

c Bitte recht *freund-lich*! In diesen Wörtern kommt die Silbe *freund* vor. Übersetzen Sie sie in Ihre Sprache.

1. die **Freund**schaft _friendship_
2. die **Freund**lichkeit _friendliness_
3. die Gast**freund**schaft _the hospitality_
4. be**freund**et sein _to be friends_
5. das **Freund**schaftsspiel _friendly game_
6. **freund**lich _friendly_
7. der/die **Freund**/in _friend_
8. der **Freund**eskreis _buddies_
9. umwelt**freund**lich _environmentally friendly_
10. sich an**freund**en mit _make friends with_

2 In der Wortschlange finden Sie Umschreibungen für Eigenschaften, die für einen Freund / eine Freundin wichtig sein können. Schreiben Sie das passende Adjektiv zu den Umschreibungen.

meinbesterfreundkanngeheimnissefürsichbehalten/ersagtmirdiewahrheiteinegutefreundinteiltgernemitanderen

tomwillseinezieleerreichensonjaundmariongehenoftzusammeninsfitnessstudiopatrickistinseinerfreizeitsehraktiv

duakzeptierstauchanderemeinungenmeinefreundinerzähltsehrlustigegeschichtenmeinältesterfreundweißsehrvieledinge

1. _Mein bester Freund kann Geheimnisse für sich behalten. → Er ist verschwiegen._
2.
3.
4.
5.
6.
7.
8.
9.

3a Lesen Sie das Gedicht und bringen Sie die Bilder in die richtige Reihenfolge.

Wilhelm Busch: Die Freunde

Zwei Knaben, Fritz und Ferdinand,
Die gingen immer Hand in Hand,
Und selbst in einer Herzensfrage
Trat ihre Einigkeit zutage.
5 Sie liebten beide Nachbars Käthchen,
Ein blondgelocktes kleines Mädchen.
Einst sagte die verschmitzte Dirne[1]:
„Wer holt mir eine Sommerbirne,
Recht saftig, aber nicht zu klein?
10 Hernach soll er der Beste sein."
Der Fritz nahm seinen Freund beiseit
Und sprach: „Das machen wir zu zweit;
Da drüben wohnt der alte Schramm,
Der hat den schönsten Birnenstamm;
15 Du steigst hinauf und schüttelst sacht[2],
Ich lese auf[3] und gebe acht."
Gesagt, getan. Sie sind am Ziel.
Schon als die erste Birne fiel,

Macht' Fritz damit sich aus dem Staube[4],
20 Denn eben schlich aus dunkler Laube[5],
In fester Faust ein spanisch Rohr[6],
Der aufmerksame Schramm hervor.
Auch Ferdinand sah ihn beizeiten
Und tät am Stamm heruntergleiten
25 In Ängstlichkeit und großer Hast,
Doch eh' er unten Fuß gefasst[7],
Begrüßt ihn Schramm bereits mit Streichen[8],
Als wollt' er einen Stein erweichen.
Der Ferdinand voll Schmerz und Hitze,
30 Entfloh und suchte seinen Fritze.
Wie angewurzelt[9] bleibt er stehn.
Ach, hätt' er es doch nie gesehn:
Die Käthe hat den Fritz geküsst,
Worauf sie eine Birne isst. –
35 Seit dies geschah ist Ferdinand
Mit Fritz nicht mehr so gut bekannt.

[1]kleines Mädchen, [2]vorsichtig, [3]hebe auf, [4]weglaufen, [5]kleines Gartenhaus, [6]Stock, [7]sicher stehen, [8]Schläge, [9]erstarrt/steif

 b Richtig oder falsch? Kreuzen Sie an.

	richtig	falsch
1. Fritz und Ferdinand sind beide in Käthchen verliebt.	☐	☐
2. Wer Käthchen eine Birne bringt, darf ihr Freund sein.	☐	☐
3. Jeder Junge gibt ihr eine Birne.	☐	☐
4. Fritz wird für das Stehlen der Birne bestraft.	☐	☐
5. Fritz und Ferdinand sind immer noch gute Freunde.	☐	☐

c Wie pflegen Sie Ihre Freundschaften? Schreiben Sie einen kurzen Text.

Meine beste Freundin kenne ich schon sehr lange. In den letzten Jahren haben wir uns nicht so oft gesehen, weil wir in unterschiedlichen Städten wohnen. Aber wir skypen jede Woche mindestens einmal länger miteinander. Dann erzählen wir …

1 Lesen Sie Forumsbeiträge zum Thema „Wer ist für dich ein Held?". Schreiben Sie Ihren Beitrag.

GONZO   15.08. | 16:30 Uhr
Ein Held ist für mich eine Person, die eine ganz besondere Leistung vollbracht hat und sich eben durch diese Leistung auszeichnet. So sind für mich Nobelpreisträger Helden. Alexander Fleming hat z. B. das Penicillin entdeckt. Welche Probleme hätten wir Menschen heute ohne diese Entdeckung? Dieser Verdienst berechtigt meiner Meinung nach dazu, einen Menschen als Helden zu bezeichnen.

FUTURA   14.08. | 19:00 Uhr
Helden sind für mich Menschen, denen das Wohl anderer Leute genauso wichtig ist wie das eigene. Dazu gehören aus meiner Sicht Menschen, die nicht wegschauen, z. B. wenn jemand auf der Straße bedroht wird oder in Gefahr ist; Menschen, die sich einmischen und dadurch vielleicht auch etwas riskieren. Leute, die Zivilcourage haben – das sind für mich Helden.

 2 Lesen Sie den Text und ergänzen Sie die fehlenden Wörter aus dem Kasten.

> Mut   Held   retten   einsetzen   Interessen   unglaublichen   Aktion   schneller   halten   Heldentaten

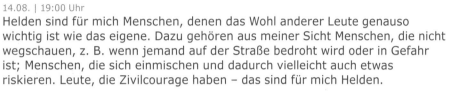

Felix Baumgartner – ein Held?

Der 43-jährige Österreicher hat einen (1) _____ Sprung überstanden. Er ließ sich in 39 km Höhe aus einer Kapsel fallen und flog dann mit 1.342 km/h der Erde entgegen. Im freien Fall war er (2) _____ als der Schall. Die ganze Welt verfolgte den Sprung am Fernseher und hielt den Atem an.

Für viele Zuschauer wurde Felix Baumgartner zum Helden. Trotzdem machte er Schluss mit dem Extremsport und will nun echte (3) _____ vollbringen: als Rettungspilot in den Alpen. Er will seinen (4) _____ und seine Kräfte einsetzen, um Waldbrände zu bekämpfen oder in den Bergen Menschen zu (5) _____.

Nach Medienberichten hat die Baumgartner-Aktion rund 50 Millionen Euro gekostet und viele meinen, das Geld hätte man durchaus auch sinnvoller nutzen können. Baumgartner sei nicht wirklich ein Held. Viele (6) _____ ihn sogar für einen Egoisten, der mit dieser (7) _____ zum Millionär wurde. Ein klassischer Held würde sich für das Leben anderer Menschen (8) _____. Dagegen folgte Baumgartner vor allem seinen eigenen (9) _____. Sein Sprung wird weder die Welt verändern noch die Probleme dieser Welt lösen, so das Urteil vieler Zuschauer.

Allerdings dürfte Baumgartner für viele Wissenschaftler ein (10) _____ sein: Mit seinem Sprung hat der Extremsportler wichtige Daten für die Raumfahrt gesammelt.

Heldenhaft

3a Wichtige Verben mit Dativ und Akkusativ. Ordnen Sie die Verben in eine Tabelle. Schreiben Sie zu jedem Verb einen Satz.

schmeckenhabenerziehenzustimmenzuhörenschadenerhalten

gelingenbeantwortendankenbekommengratuliereneinfallenessen

gefallenliebenhelfenhörenbenutzenpassenlesen

Verben mit Dativ	Verben mit Akkusativ
gelingen: Der Kuchen ist dir gut gelungen.	

b Ergänzen Sie weitere Verben in Ihrer Tabelle.

4 Dativ oder Akkusativ? Ergänzen Sie das Artikelwort.

1. ○ Gestern habe ich mir ei_____ Buch gekauft.

   ● Hast du denn d_____ Roman schon gelesen, den Klaus dir geschenkt hat?

   ○ Nein, ich fand d_____ Buch zu langweilig.

   ● Mein_____ Freundin hat es aber sehr gut gefallen.

2. ○ Ich habe Eintrittskarten für d_____ Fußballspiel. Kommst du mit?

   ● Ich weiß noch nicht genau. Ich helfe ein_____ Freundin beim Umzug.

   ○ Gut, dann schick mir bis morgen ein_____ SMS, sonst frage ich mein_____ Bruder.

5 Ergänzen Sie die Objekte in der richtigen Form.

großes Glück	der Verletzte	die Polizei
der nachfolgende Verkehr	der Unfallort	die Autobahn ~~ein Verkehrsunfall~~

Ein 23-jähriger Mann verursachte am Montagmorgen beim Auffahren auf die A14 (1) _einen Verkehrsunfall_ .

Ein nachfolgender Autofahrer informierte sofort (2) _____. Sie war sehr schnell vor

Ort, sperrte (3) _____ und half (4) _____. Ein Arzt erreichte

(5) _____ mit dem Rettungshubschrauber und brachte den Verletzten nach kurzer

Behandlung in die Klinik. Die Sperrung der Autobahn behinderte (6) _____.

Laut Polizeisprecher hatte der Unfallverursacher (7) _____. Durch den schnellen

Einsatz der Rettungskräfte konnte sein Leben gerettet werden.

6 Verben mit Dativ und Akkusativ. Suchen Sie passende Objekte und bilden Sie Sätze.

1. Der Zeuge zeigt der Polizei den Unfallort.

Subjekt	Verb	Objekte	
1. Der Zeuge	zeigen	die Straßensperrung	das Aufstehen
2. Die Polizei	verbieten	dem leicht Verletzten	den Zuhörern
3. Der Radiosender	mitteilen	~~der Polizei~~ eine Rechnung	seinen Helfern
4. Der Arzt	erlauben	einen Strauß Blumen	
5. Der Gerettete	schenken	dem Unfallverursacher	dem Patienten
6. Die Stadt	schicken	~~den Unfallort~~	die Weiterfahrt

7 Deklination des Personalpronomens. Ergänzen Sie die Tabelle.

N	ich	du	er	es	sie	wir	ihr	sie/Sie
A					*sie*	*uns*		
D		*dir*		*ihm*				*ihnen*

8 Beantworten Sie die Fragen. Ersetzen Sie dabei die unterstrichenen Wörter durch Pronomen. Achten Sie auf die Position der Pronomen.

1. Verschwieg der Unfallverursacher der Polizistin <u>seine Unaufmerksamkeit</u>?
2. Zeigte er <u>der Polizistin</u> seinen Ausweis?
3. Gestattete sie <u>dem Autofahrer</u> die Weiterfahrt?
4. Nahm sie dem Autofahrer <u>die Fahrerlaubnis</u> weg?
5. Empfahl die Ärztin <u>dem Autofahrer</u> <u>eine ausführliche Untersuchung</u>?
6. Gestand der 30-jährige Fahrer <u>seiner Anwältin</u> <u>seinen Fehler</u>?

1. Ja, der Unfallverursacher verschwieg sie der Polizistin.

> **TIPP**
>
> **Stellung der Objekte**
>
> 1. Dativ <u>vor</u> Akkusativ
>   (beide Objekte = Nomen)
>   *dem Polizisten seinen Ausweis*
>
> 2. Pronomen <u>vor</u> Nomen
>   (ein Objekt = Nomen)
>   *ihm seinen Ausweis*
>   *ihn dem Polizisten*
>
> 3. Akkusativ <u>vor</u> Dativ
>   (beide Objekte = Pronomen)
>   *ihn ihm*

9a Verben mit Präpositionen. Ergänzen Sie die Präposition und den Kasus.

1. sich einsetzen __*für*__ + __*A*__
2. sich bemühen _____ + _____
3. danken _____ + _____

4. helfen _____ + _____
5. hoffen _____ + _____
6. sich kümmern _____ + _____

7. sich sorgen _____ + _____
8. sich verlassen _____ + _____
9. warnen _____ + _____

b Schreiben Sie mit jedem Verb einen Satz.

> **TIPP** Verben mit Präpositionen kann man am besten mithilfe von Beispielsätzen lernen, die Merkhilfen sind: *Ich warte **auf** den **Auf**zug.*
> *Er freut sich **über** die **Über**raschung.*

1a Bilden Sie zusammengesetzte Nomen mit *Glück*.

Mutter	Gefühl	Moment	Ehe	Spiel	Familien
Tag	Zahl	**– G L Ü C K (S) –**		Symbol	Hormon
Keks	Strähne	Pilz	Anfänger	~~Kind~~	Fee

das Glückskind …

 b Was bedeuten die Redewendungen? Ordnen Sie zu.

1. __e__ Er hat beim Chef kein Glück.

2. ____ Sie hat mehr Glück als Verstand.

3. ____ Er hatte Glück im Unglück.

4. ____ Du kannst noch von Glück reden, dass nichts passiert ist.

5. ____ Jeder ist seines Glückes Schmied.

6. ____ Glück und Glas, wie leicht bricht das.

7. ____ Man kann niemanden zu seinem Glück zwingen.

a Es hätte noch schlimmer kommen können.

b Jeder ist für sein Glück verantwortlich.

c Sie hat in einer riskanten Situation Glück.

d Du solltest froh sein, dass nichts passiert ist.

e Er kann bei jemandem nichts erreichen.

f Jemand hört nicht auf einen guten Rat.

g Glück kann schnell enden.

Aussprache: Hauchlaut oder Vokalneueinsatz

3

1a Welches Wort hören Sie? Kreuzen Sie an.

1. ☐ Ende ☐ Hände   4. ☐ eben ☐ heben

2. ☐ Ecke ☐ Hecke   5. ☐ erstellen ☐ herstellen

3. ☐ eilen ☐ heilen   6. ☐ Haus ☐ aus

4

b Hören Sie die Wortpaare und sprechen Sie nach.

 2a Trennen Sie die Wörter nach Silben. Wird das *h* gesprochen oder nicht? Begründen Sie.

herz/haft, *leh/ren*, Johannes, sehen, lebhaft, erheben, Alkohol, unhaltbar, Seehund, ehrlich, wohnen, Frechheit, Gehilfe

TIPP *h* wird am Wort- und Silbenanfang immer gesprochen: *heiraten*.
h bleibt im Wortinneren nach einem Vokal stumm und macht den Vokal lang: *Wohnung*.

5

b Hören Sie die Wörter zur Kontrolle und sprechen Sie nach.

6

3 Zungenbrecher. Hören Sie und lesen Sie mit.

Hinter Hermann Hannes Haus hängen hundert Hemden raus.
Zehn zahme Ziegen zogen zehn Zentner Zucker zum Zoo.
Als Anna abends aß, aß Anna abends Ananas.

Selbsteinschätzung

So schätze ich mich nach Kapitel 1 ein: Ich kann …	+	○	—
… einen Dialog über Träume verstehen. ▶AB M1, Ü1a	☐	☐	☐
… in einem Radiobeitrag zum Thema „Freundschaft" allgemeine und persönliche Aussagen verstehen. ▶M2, A2	☐	☐	☐
… eine Umfrage zum Thema „Helden" verstehen. ▶M3, A1b	☐	☐	☐
… eine Umfrage zum Thema „Glück" verstehen. ▶M4, A3	☐	☐	☐
… einen Zeitungstext zum Thema „Träume" nach bestimmten Informationen durchsuchen und verstehen. ▶M1, A3a	☐	☐	☐
… ein Gedicht über Freundschaft verstehen. ▶AB M2, Ü3	☐	☐	☐
… in kurzen Texten die wichtigsten Informationen verstehen. ▶M3, A2a	☐	☐	☐
… die wesentlichen Informationen aus einem Text über alltägliche Missgeschicke verstehen. ▶M4, A5a-b	☐	☐	☐
… über meine Träume sprechen. ▶M1, A5	☐	☐	☐
… über Eigenschaften sprechen. ▶M2, A1b	☐	☐	☐
… meine Meinung zum Thema „Freundschaft" äußern und begründen. ▶M2, A1, A2b, A3b	☐	☐	☐
… den Begriff „Held" definieren. ▶M3, A1a	☐	☐	☐
… besondere Personen beschreiben. ▶M2, A1c	☐	☐	☐
… über Glückssymbole und Aberglaube sprechen. ▶M4, A1, A5d-e	☐	☐	☐
… über Glück diskutieren und dabei geeignete Redemittel verwenden. ▶M4, A2, A4	☐	☐	☐
… einen Text über eine besondere Person schreiben. ▶M3, A3a	☐	☐	☐
… in einem Forumsbeitrag beschreiben, wer für mich ein Held ist. ▶AB M3, Ü1	☐	☐	☐
… in einer E-Mail zur Geburt eines Kindes gratulieren und meine Freude ausdrücken. ▶M4, A6	☐	☐	☐

Das habe ich zusätzlich zum Buch auf Deutsch gemacht (Projekte, Internet, Filme, Texte, …):

Datum: Aktivität:

_____   _____

_____   _____

_____   _____

▶ **Grammatik und Wortschatz weiterüben: interaktive Übungen unter www.aspekte.biz/online-uebungen1**

Wortschatz

Modul 1 Gelebte Träume *lived dreams*

anfeuern	cheer on	mäßig	moderate
aufgeben (gibt auf, gab auf, hat aufgegeben)	to give up	scheinen (scheint, schien, hat geschienen)	to seem to be
der Auftritt, -e	the performance	tatsächlich	indeed
aufwachsen (wächst auf, wuchs auf, ist aufge-wachsen)	to watch	der Traum, -"e	the dream
		die Unterstützung	support
die Ernüchterung	the disillusionment	verbringen (verbringt, ver-brachte, hat verbracht)	to spend
die Euphorie	the euphoria	der Verein, -e	the Union
herausbringen (bringt heraus, brachte heraus, hat herausgebracht)	to release	sich verletzen	hurt
		zusammenstellen	compile

Modul 2 In aller Freundschaft *in all friendship*

begleiten	to accompany	das Symbol, -e	the symbol
die Beziehung, -en	the relationship	sich trennen von	separate from
ehrgeizig	ambitious	der Übergang, -"e	the transition
die Eigenschaft, -en	the property	unternehmungslustig	enterprising
der Freundeskreis, -e	the circle of friends	verantwortungsbewusst	responsibly
gebildet	educated	verschwiegen	discreet
die Kindheit	the childhood	witzig	funny
schnelllebig	fast moving	zuverlässig	reliable

Modul 3 Heldenhaft *heroically*

abwechslungsreich	diversified	die Rettung	the rescue
ehrenamtlich	unsalaried	überleben	to survive
der Einsatz, -"e	the use	das Ufer, -	the shore
sich einsetzen für	to win for	untergehen (geht unter, ging unter, ist unter-gegangen)	to perish
die Maßnahme, -n	the measure		
der Nobelpreis, -e	the Nobel Prize		
retten	to rescue	vollbringen (vollbringt, vollbrachte, hat voll-bracht)	to accomplish

Modul 4 Vom Glücklichsein *of happiness*

der Aberglaube	the superstition	der Kreißsaal, -säle	the delivery room
abergläubisch	superstitous	messen (misst, maß,	measure up
sich anstrengen	make an effort	hat gemessen)	
die Anstrengung, -en	the effort	offenlegen	disclose
sich belasten mit	burden yourself w/	das Schicksal	the fate
die Entspannung	relaxation	überprüfen	check
die Erfüllung	the fulfillment	sich umhören	to listen
das Erlebnis, -se	the experience	die Unterlagen (Pl.)	the documents
die Erleichterung	the relief	weitgehend	largely

Wichtige Wortverbindungen *important word connections*

die Abwehrkräfte stärken	the defenses
sich auf einen Kaffee verabreden	to arrange a coffee
auf dem Laufenden bleiben	to stay updated
sich seinen Lebensunterhalt verdienen mit	to earn a living with
die Schulbank drücken	the school press
einen Traum aufgeben	to give up a dream
sich einen Traum erfüllen	make a dream come true
einen Traum verwirklichen	to live a dream

Wörter, die für mich wichtig sind:

_____ _____ _____ _____

_____ _____ _____ _____

_____ _____ _____ _____

_____ _____ _____ _____

Wohnwelten

Vor dem Start: Erinnern Sie sich? Diese Übungen bereiten Sie auf das Kapitel vor.

1 Lesen Sie die E-Mail und ergänzen Sie die fehlenden Wörter.

~~der~~	~~das~~	~~der~~	~~die~~	~~die~~	~~die~~	~~der~~	~~der~~
Aufzug	Bad	Balkon	Dusche	Tiefgarage	Küche	Mietvertrag	Parkplatz
Quadratmeter	Schlafzimmer	Stadtmitte	Stock	Wohnblock	Wohnung	Zimmer

der ~~~~ *das* ~~~~ *die* ~~~~ *der* ~~~~ *das* ~~~~ *das*

nun = im moment / jetzt

außen = gleich draußen

wohlfühlen = ich fühl mich wohlen

Liebe Paula,

endlich habe ich eine neue (1) __Wohnung__. Vor zwei Wochen habe ich den

(2) __Mietvertrag__ unterschrieben. Diese Wohnung ist wirklich perfekt für

mich. Sie liegt sehr zentral, direkt in der (3) __Stadtmitte__. Das Haus, ein

(4) __Wohnblock__ aus den 60er-Jahren, ist von [außen] nichts Besonderes,

aber meine zwei (5) __Zimmer__ sind sehr gemütlich. Ich werde mich hier

bestimmt [wohlfühlen]. Ich habe ein Wohn- und ein (6) __Schlafzimmer__, eine

(7) __Küche__ und ein kleines (8) __Bad__ mit

(9) __Dusche__. Ich wohne im sechsten (10) __Stock__, aber

zum Glück gibt es hier einen (11) __Aufzug__. Paula, du glaubst es nicht:

Ich habe [nun] tatsächlich einen (12) __Balkon__. Er ist sogar ziemlich groß: 6,5

(13) __Quadrameter__. Im Sommer werde ich da jeden Tag frühstücken. Aber das

Beste ist: Ich muss [nun] nie wieder einen (14) __Parkplatz__ suchen, denn ich habe

einen Stellplatz in der (15) __Tiefgarage__ gemietet.

Du musst mich so bald wie möglich besuchen!

Viele Grüße, Marietta

2 Lesen Sie den Dialog und formulieren Sie die passenden Fragen.

○ Hallo Carla.

● Hallo Jörg. Mensch, wir haben uns ja ewig nicht gesehen! Was gibt's Neues?

○ Ach, so einiges. Ich bin gerade umgezogen. *(liegt) ist gut auch*

● Echt? Das ist ja toll! Erzähl mal! (1) __Wo ist diene neue Wohnung__?

○ Die Lage ist optimal – direkt am Stadtrand. Da ist es so viel ruhiger als im Zentrum.

● (2) ~~Bist du~~ *Ist das* __weit weg von Stadtmitte__?

○ Nein. Ich fahre nur 10 Minuten mit dem Bus. Der hält direkt vor meinem Haus.

● (3) __Wie große ist die Wohnung__?

○ Die Wohnung hat ungefähr 52 Quadratmeter, wirkt aber viel geräumiger, weil sie gut geschnitten ist.

● Hört sich toll an. (4) __Ist die Miete ~~billig~~ hoch__?

○ Leider ziemlich hoch. Ich zahle jetzt fast 400 €.

● (5) ~~Echt? ist das normal__ __sind die Nebenkosten inklusive? ODER__ *ist das warm oder kalt* *ist das alles*?

○ Die Nebenkosten sind dann auch noch mal knapp 80 €. Aber das [lohnt sich,] die Wohnung ist einfach toll.
   Komm doch mal vorbei!

about exe 79   *€82= gut €80*

102

3a Welche Beschreibung passt zu welchem Nomen?

1. _f_ die Miete
2. _e_ die Kaution ~~deposit~~
3. _a_ die Nebenkosten
4. _b_ die Provision
5. _d_ die Wohnungsanzeige
6. _c_ die Ablöse

a Kosten, die zusätzlich zur Miete entstehen, z. B. für Müllabfuhr oder Wasser

b Geld, das man für die Vermittlung einer Wohnung bezahlt

c Geld, das man z. B. für die Einbauküche zahlt, die man vom Vormieter übernimmt

d kurzer Text, den man z. B. in der Zeitung drucken lässt, weil man eine Wohnung anbieten will oder sucht

e Geldbetrag, den man als Sicherheit hinterlegen muss, wenn man eine Wohnung mietet

f Geld, das man jeden Monat zahlt, um in einer Wohnung / in einem Haus wohnen zu können

b Welches Verb passt zu welchem Nomen? Notieren Sie. Manchmal gibt es mehrere Möglichkeiten.

1. die Hausordnung	6. den Mietvertrag ✓rental contract	a renovieren renovate	f einhalten follow
2. den Umzug move	7. die Wohnung	b gründen establish	g aufgeben
3. die Nebenkosten	8. die Anzeige display	c organisieren organize	h erhöhen increase
4. die WG	9. die Maklerin estate	d überweisen transfer	i beauftragen instruct
5. die Miete	den Makler agents	e bezahlen pay	j unterschreiben sign
	10. die Kaution deposit		

1f, 6j, 5e, 9i, 10b, 3h, 8d, 8c, 7a, 8g 2c, 3d/e/h, 4b, 5d/e/h, 6j, 7a, 8g, 9e/i, 10 d/e/h

4 Ergänzen Sie die passenden Verben. Die Buchstaben in den grauen Kästchen ergeben das Lösungswort: Haben Sie Ihre _T R A U M W O H N U N G_ schon gefunden?

(ä, ö, ü = ein Buchstabe)

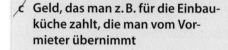

waagrecht:
1. für Wärme sorgen
2. einen (Miet-)Vertrag beenden
3. eine Wohnung nicht kaufen, sondern …
4. an der Haustür läuten
5. die Wohnung für immer verlassen
6. sauber machen
7. Ordnung machen

senkrecht:
8. schön machen, gestalten, schmücken
9. in einer Wohnung oder einem Haus leben
10. das Auto an einem Platz abstellen
11. in eine Wohnung gehen, um darin zu leben
12. jemanden gegen Bezahlung in seiner Wohnung wohnen lassen
13. ein Zimmer durch Möbel und andere Dinge wohnlich machen
14. alte Dinge erneuern, reparieren

Crossword answers:
1. HEIZEN
2. KÜNDIGEN
3. MIETEN
4. KLINGELN
5. AUSZIEHEN
6. PUTZEN
7. AUFRÄUMEN
8. DEKORIEREN
9. WOHNEN
10. PARKEN
11. EINZIEHEN
12. VERMIETEN
13. EINRICHTEN
14. RENOVIEREN

Eine Wohnung zum Wohlfühlen

1 Ergänzen Sie die Präfixe in den Sätzen.

> ~~auf~~   ~~aus~~   be   ~~aus~~   be
>
> ~~ein~~   ~~ein~~   ent

1. Wenn man aus einer Wohnung __aus__zieht, bedeutet das immer viel Arbeit. 2. Man muss die alte Wohnung ausräumen und alles _ein_ packen. 3. Oft muss man in der alten Wohnung renovieren oder die Renovierungsarbeiten _be_ zahlen. 4. Bevor man in die neue Wohnung _ein_ ziehen kann, muss man meistens noch viele Sachen _be_ sorgen. 5. Oft sind neue Möbel nötig und da ist es nicht so einfach, sich zu _ent_ scheiden. _kaufen oder mitbringen_ 6. In der neuen Wohnung muss man natürlich alle Kartons _aus_ packen und Bilder und Lampen _auf_ hängen.

2 Ergänzen Sie die Verben im Partizip Perfekt.

> anschreiben   ansehen   beginnen   entscheiden   herumlaufen
>
> kennenlernen   umziehen   vergleichen   ~~vorbereiten~~

Ich habe meinen Umzug sehr gut (1) _vorbereitet_ : Zuerst habe ich mir viele Anzeigen

(2) _____ und die Beschreibungen und Preise genau (3) _____.

Dann habe ich mit den Wohnungsbesichtigungen (4) _____. Dabei bin ich viel in der

Stadt (5) _____ und habe sie so viel besser (6) _____.

Nach drei Wochen habe ich mich (7) _____. Ich habe dann meinen Vermieter

(8) _____ und die alte Wohnung gekündigt. Vor drei Wochen bin ich endlich

(9) _____.

3 Was hört man bei Umzügen? Bilden Sie Imperativsätze.

1. Vermieter noch mal anrufen   _Ruf bitte den Vermieter noch mal an!_ _____

2. Gläser und Teller einpacken   _____

3. Tür aufmachen   _____

4. Schlüssel nicht vergessen   _____

5. Pizza und Getränke mitbringen   _____

6. Auto abschließen   _____

4 Schreiben Sie einen Text (8–10 Sätze) über einen Umzug, bei dem Sie dabei waren.

Bei meinem letzten Umzug bin ich in den zweiten Stock gezogen. Das Treppenhaus war nicht sehr groß – aber mein Kleiderschrank hatte sehr große Türen …

5 Formulieren Sie Sätze. Achten Sie auf den Infinitiv mit *zu*.

1. Ich habe gar keine Lust, _nächstes Wochenende von hier wegzuziehen._
   (nächstes Wochenende von hier wegziehen)

2. Ich hätte große Lust, nächsten Freitag _____
   (einfach verreisen)

3. Aber für mich ist es wichtig, endlich _____
   (in die neue Wohnung einziehen)

4. Ich hoffe, dass viele Freunde Zeit haben, _____
   (vorbeikommen und helfen)

5. Ich hoffe, sie helfen mir, _____
   (alles auspacken und aufbauen)

6 Ergänzen Sie die Verben in der richtigen Form.

| abwaschen | aufräumen | ausruhen | eingießen | einteilen | entscheiden |
| ~~entspannen~~ | genießen | umziehen | wohlfühlen |

„So, jetzt (1) _**entspann**_ dich doch endlich!" Das denke

ich oft, wenn ich abends nach Hause komme. In meiner

kleinen Wohnung (2) _____ ich mich sehr

_____. Ich habe mich vor einem Jahr

(3) _____, in diese Wohnung (4) _____.

Und das war goldrichtig! Die Wohnung ist sehr schön

und ruhig. Nur leider ist es so, dass ich die Ruhe selten

(5) _____. Ich habe sehr viel Arbeit und wenn ich

nach Hause komme, heißt es (6) _____, (7) _____ und, und, und.

Irgendwie muss ich mir die Zeit besser (8) _____ und mir zwischendrin sagen:

(9) _____ dir einen schönen Tee _____ und (10) _____ dich einfach mal

_____!"

7 Eine Grafik beschreiben. Was passt zusammen?

100 %	95 %	87 %	59 %	50 %	47 %	25 %	19 %	5 %
___	___	___	___	___	___	___	___	___

A über die Hälfte / mehr als die Hälfte   E knapp die Hälfte
B ein Viertel   F wenige / einige
C die wenigsten / fast niemand /   G viele
   nur sehr wenige   H fast alle / die meisten
D alle   I die Hälfte

8 Lesen Sie das Interview mit dem TV-Moderator Jörg Pilawa. Beantworten Sie die Fragen auch für sich selbst. Tauschen Sie sich dann im Kurs aus.

„Sag mir, wie du wohnst, dann weiß ich besser, wer du bist."

Sie möchten sich entspannen. Wohin in Ihrer Wohnung gehen Sie?
In die klitzekleine Sauna in unserem Haus.

_____

_____

_____

Meine Küche ist ...
... Zentrum für die Familie. Dort essen wir zusammen mit den Kindern dreimal am Tag.

_____

_____

_____

Gemütlichkeit bedeutet für mich ...
... wenig Licht, guter Rotwein, Kaminfeuer, meine Frau.

_____

_____

_____

Wenn ich die Haustür aufschließe, ...
... hoffe ich, dass meine Kinder mir entgegenlaufen und erzählen, wie sie den Tag verbracht haben.

_____

_____

_____

Was darf in Ihrem Kühlschrank niemals fehlen?
Frische Milch, guter Käse und Schwarzbrot.

_____

_____

Welches ist Ihr Lieblingsmöbelstück und warum?
Ein Ledersessel mit Fußbank. Alle finden ihn sehr hässlich, aber ich finde ihn sehr gemütlich.

_____

_____

Mit wem könnten Sie sich vorstellen, eine WG zu gründen?
Wer würde es mit uns aushalten? Mit drei Kindern ist immer etwas los. Ich habe zwei gute Freunde aus der Schulzeit. Mit denen könnte es gut gehen.

_____

_____

Welche Ihrer Macken wären für einen WG-Partner nur schwer zu akzeptieren?
Ich kann unordentlich und fast schlampig sein, wenn ich viel arbeite. Und penibel und pingelig, wenn ich Zeit habe.

_____

_____

Wenn Geld keine Rolle spielen würde, wie und wo würden Sie gerne wohnen?
Auf Amrum. Die Insel ist für mich das schönste Fleckchen Erde. Hier finde ich Naturgewalt pur, Luft, Wasser, Dünen. Strand und Ruhe.

_____

_____

1a Lesen Sie den Text und entscheiden Sie, welche Aussagen richtig und welche falsch sind.

Hilfe zur Selbsthilfe – Die Zeitung BISS

In allen deutschen Großstädten gibt es heute Zeitungsprojekte, die Menschen in Not helfen sollen. Eine dieser Zeitungen heißt BISS und wird in München verkauft. BISS steht für Bürger und Bürgerinnen In Sozialen Schwierigkeiten. Es ist das erste und älteste Straßenmagazin bundesweit. Am 17. Oktober 1993 wurde die Zeitung BISS zum ersten Mal verkauft und erscheint heute mit elf Ausgaben pro Jahr und einer Auflagenhöhe von 38.000 Stück. Man sieht die Verkäufer auf großen Plätzen und an U-Bahnhöfen. Das Projekt ist eine Hilfe zur Selbsthilfe für viele wohnungslose und arbeitslose Menschen. Rund 2.400 wohnungslose und alleinstehende Menschen leben in München das ganze Jahr auf der Straße.

Die Wege in die Not sind vielfältig. Ein Weg zurück in die Gesellschaft kann über die Zeitung BISS führen. Denn BISS hilft den Obdachlosen bei der Wohnungs- und Arbeitssuche, bei Gesundheitsfürsorge, Schulden- und Drogenproblemen. Für viele Bedürftige ist BISS erste Anlaufstelle und letzte Rettung.

Aktuell kostet die Zeitung 2,20 €, davon gehen 1,10 € an den Verkäufer. Die meisten von ihnen haben keinen Beruf erlernt und sonst nur geringe Chancen auf dem regulären Arbeitsmarkt. Wer nachweisen kann, dass er arm oder mittellos ist, erhält einen Verkäuferausweis, auch Sozialhilfeempfänger, Arbeitslose und Kleinrentner. Jedem Verkäufer wird ein bestimmter Platz und eine feste Uhrzeit zugewiesen – das wird auch kontrolliert.

Und es gibt noch mehr Regeln, die eingehalten werden müssen: Alkohol und Drogen sind während des Verkaufs untersagt, und wer krank ist, muss sich abmelden.

Momentan arbeiten 100 Verkäuferinnen und Verkäufer für die BISS. Wer regelmäßig 400 Zeitungen verkaufen kann, kann auch angestellt werden und ist damit endlich wieder sozialversichert. Für diese momentan 36 Verkäufer ist Wiedereingliederung kein abstrakter Begriff mehr: Sie haben ihre Wohnung und gehen tagsüber die BISS verkaufen und manche fahren sogar mal ein paar Tage in Urlaub.

	richtig	falsch
1. Man kann die Zeitung BISS in allen deutschen Großstädten kaufen.	☐	☑
2. BISS kauft man in einem Geschäft oder an einem Kiosk.	☐	☑
3. Mit diesem Zeitungsprojekt wird wohnungs- und arbeitslosen Menschen geholfen.	☑	☐
4. Die Verkäufer können nicht entscheiden, wo und wann sie die Zeitungen verkaufen wollen.	☑	☐
5. Wer BISS verkaufen möchte, muss sich an bestimmte Regeln halten.	☑	☐
6. Alle BISS-Verkäufer sind fest angestellt und haben wieder eine Wohnung.	☐	☑

b Schreiben Sie: Worauf beziehen sich die Zahlen im Text?

17. 10. 1993: *BISS erschien zum ersten Mal* _____

11: _____

38.000: _____

2.400: _____

2,20 €: _____

1,10 €: _____

100: _____

36: _____

Wie man sich bettet, …

1a Schlafen im Hotel – Wie heißen die Nomen?

1. komfortabel   der _____
2. anbieten   das _____
3. ausstatten   die _____

4. gemütlich   die _____
5. übernachten die _____
6. entspannen die _____

b Wählen Sie drei Nomen aus 1a und schreiben Sie je einen Satz zum Thema „Schlafen im Hotel".

2a n-Deklination: mit oder ohne -(e)n? Lesen Sie den Dialog und tragen Sie die Endung ein, wo nötig.

○ Hi Robert. Du siehst ja super aus. Warst du im Urlaub____ (1)?

● Ja, ich war in der Schweiz, in einem Eishotel.

○ Echt? Das ist ja mal was ganz anderes. Hat dir jemand einen Tipp____ (2) gegeben?

● Das war ganz witzig. Davon habe ich zufällig von meinem Nachbar____ (3) gehört.

○ Und warst du alleine da?

● Nein, ich bin mit meinem Kollege____ (4) Heiner und seiner Frau gefahren. Er ist auch Arzt____ (5) in der Klinik. Du kennst ihn von meinem Geburtstag____ (6). Du hast gesagt, dass du noch nie einen so netten Neurologe____ (7) kennengelernt hast.

○ Ach der … Und? Wie war's denn?

● Super, wir waren alle ganz begeistert. Am Tag____ (8) haben wir eine Ski-Tour gemacht und am Abend____ (9) gab es eine Sterne-Tour mit einem Astronom____ (10). Nachts haben wir in einem Iglu übernachtet. Das war wunderschön.

○ Und wie war die Nacht? War es nicht zu kalt?

● Gar nicht. Ich habe tief und fest in meinem dicken Schlafsack____ (11) geschlafen. Du hättest einen Bär____ (12) neben mich legen können. Ich hätte nichts gemerkt.

○ Hört sich super an.

● Ach, und am Morgen … der Blick____ (13) über die Berge. Wie im Traum____ (14)! Ich habe es auch schon einem Patient____ (15) empfohlen. Er fährt mit seinem Sohn wegen der guten Luft immer in die Berge. Dem Junge____ (16) hat es da super gefallen.

○ Kannst du mir den Name____ (17) sagen? Dann kann ich das Hotel mal googeln.

● Ja, klar …

b Was passt wo? Ergänzen Sie die Lücken mit den Nomen und den Artikelwörtern.

| Chaot | Fotograf | Herr | ~~Kunde~~ | Name | Tourist | Rezeptionist |

1. In diesem Hotel werden d*ie Kunden* _____ richtig verwöhnt.

2. Unser Hotel hatte se_____ _____ „Zur Sonne" nicht verdient. Die Zimmer waren

   sehr dunkel.

3. Im Restaurant traf ich ei_____ älteren _____, der schon seit 20 Jahren in

   dieses Hotel kommt.

4. Bei der Abreise habe ich von d_____ _____ dreimal eine falsche Rechnung

   bekommen. So ei_____ _____ habe ich noch nie erlebt.

5. Unsere Foto-Safari war super! Das Hotel hat eine Tour angeboten mit ei_____ _____,

   der erklärt, wie man gute Bilder von wilden Tieren machen kann.

6. Im Hotel wurde das Gepäck ei_____ jungen _____ gestohlen und keiner der

   Hoteldetektive hatte es bemerkt.

3a So merken Sie sich die Nomen der n-Deklination leichter: Schreiben Sie Mini-Geschichten zu
a) bis c). Die markierten Nomen gehören zur n-Deklination.

a) **Passant** – **Bandit** – **Zeuge** – Polizei / beobachten –
   anrufen – verfolgen – befragen

b) **Löwe** – Mann – Kinder – im Park – Fleisch – aus
   Einkaufstüte – **Held** / sehen – spielen – geben – retten

c) **Journalist** – **Fotograf** – gute Geschichte – **Bandit** –
   Held – **Präsident** – **Prinz** / suchen – entscheiden

b Erfinden und schreiben Sie drei Situationen wie in den Beispielen, in denen mindestens zwei
Nomen der n-Deklination aus dem Kasten vorkommen.

1. Zu Hause haben wir einen Affen und einen Bären.
2. Letzte Woche war ich bei zwei Spezialisten: Bei einem Pädagogen und einem Dermatologen.
3. Kennst du einen Spezialisten oder Experten für Häuser? – Klar … einen Architekten!

der Tourist	der Hase	der Praktikant	der Mensch	der Nachbar	der Musikant
der Pilot	der Name	der Kunde	der Junge	der Elefant	der Neffe	der Diamant
der Herr	der Student	der Bär	der Philosoph	der Idealist	der Soldat	der Kollege	der Diplomat

TIPP Neue Wörter kann man sich am besten im Kontext merken, z. B. im Zusammenhang mit einem Thema oder in einem Satz.
Je interessanter das Thema und je skurriler der Satz, desto besser!

Hotel Mama

1 Welches Wort passt? Ergänzen Sie die Mail.

Kinder, Kinder, Kinder

Hallo Selina,

danke für deine Mail. Tja, meine beiden Kinder wohnen immer noch (1) _____,

obwohl sie schon über zwanzig sind. Eigentlich ist das kein Problem, denn wir haben

(2) _____ Platz. Allerdings denke ich, dass sie langsam mal lernen sollten, auf

eigenen Beinen zu stehen (3) _____ Verantwortung (4) _____.

Ich selbst bin ja schon mit 16 Jahren (5) _____, weil ich eine Ausbildung

(6) _____ einer anderen Stadt gemacht habe. Das war aber wirklich zu früh.

(7) _____ Tochter arbeitet bereits seit drei Jahren in ihrem Beruf. Sie

(8) _____ sich eine eigene Wohnung also auch leisten, aber hier bei uns ist es

einfach bequemer für sie und (9) _____ Luxus will sie nicht aufgeben. Mein Sohn

ist der Meinung, (10) _____ er bei uns wohnen kann, solange er studiert. Aber

andere Studenten wohnen doch auch in einem Studentenwohnheim oder in einer WG.

Ich glaube, ich muss jetzt mal härter werden, was meinst du? Mit „Hotel Mama" ist jetzt

Schluss! Drück mir die Daumen ☺

---

1. A beim Haus	3. A aber	5. A ausgezogen	7. A Meine	9. A diese
B zu Hause	B oder	B ausziehen	B Meinen	B diesen
C zum Haus	C und	C auszuziehen	C Meiner	C dieser
2. A genügend	4. A übernehmen	6. A aus	8. A dürfte	10. A dass
B genügende	B übernehmend	B bei	B könnte	B obwohl
C genügender	C zu übernehmen	C in	C müsste	C weil

2 Hören Sie das Gespräch und beantworten Sie die Fragen.

7

1. Was hat sich vor Kurzem in Sandras Leben geändert?

   _____

2. Wie alt sind Sandras Kinder?

   _____

3. Wo und wie wohnt Sandra?

   _____

4. Was hat sich im Leben von Sandras Sohn verändert?

   _____

5. Welche Veränderung gibt es bei Sandras Tochter?

   _____

3 Lesen Sie den Text und die Aufgaben 1 bis 6 dazu. Wählen Sie: Sind die Aussagen Richtig oder Falsch?

Margot 27.08. | 09:30 Uhr
Mein Urlaub im „Apart-Hotel-Tochter"

Ab heute berichte ich wieder mal aus Hamburg: Wie schon letztes Jahr mache ich wieder zwei Wochen Urlaub in der Wohnung meiner Tochter Paula. Sie macht mit den Kindern Ferien auf der Ostseeinsel Fehmarn und ich kann so lange in ihrer Wohnung in Hamburg wohnen.

Gestern bin ich angekommen – und gleich habe ich etwas Lustiges erlebt. Ich hatte gerade meine Tasche abgestellt und wollte mir einen Kaffee machen, da klingelte es an der Tür. Eine freundliche Dame in einer alten Jogginghose und einem bequemen Pullover stand vor mir. Sie sah mich ziemlich überrrascht an und meinte dann unvermittelt: „Wer sind Sie denn?" – „Na", antwortete ich „das wollte ich Sie gerade fragen!" … Sofort entschuldigte sie sich. Sie sei die Nachbarin – und dann erinnerte ich mich, dass ich sie letztes Jahr ein paar Mal im Treppenhaus gesehen hatte, da hatte sie allerdings immer sehr schicke Klamotten an. Ich stellte mich also auch vor und fragte, worum es ginge. Und dann erzählte Sie mir, dass tags zuvor in Hamburg ein starker Sturm gewesen war. Es war ihr sehr unangenehm, aber ein schwerer Kasten mit Balkonpflanzen war von ihrer Dachterrasse heruntergefallen und auf dem Balkon meiner Tochter gelandet. Sie hätte gestern schon geklingelt, aber es sei niemand da gewesen. Sie wollte jetzt den Balkon sauber machen. Gemeinsam sahen wir nach und tatsächlich: Da lag ein wirklich großer Blumenkasten verkehrt herum und zerbrochen auf dem Balkon und alles war voll Erde – auch die Balkontür. Das war eine richtige Schweinerei! Einige Balkonpflanzen von Paula sind auch kaputtgegangen.

Wir haben dann zusammen geputzt – das hat richtig lange gedauert. Dabei hatten wir natürlich viel Zeit, uns ein bisschen kennenzulernen. Als wir fertig waren, haben wir noch einen Kaffee zusammen getrunken. Rosi (so heißt die Nachbarin) ist sehr nett und wir haben noch richtig lange zusammengesessen.

Heute fahren wir gemeinsam neue Balkonpflanzen für Paula kaufen – hoffentlich kaufen wir etwas, was ihr gefällt, gell Paula?! Und bevor wir fahren, will Rosi mit mir durch die Altstadt bummeln. Wofür so ein Sturm nicht alles gut ist!

Fortsetzung folgt – bis bald
Margot

Beispiel

0. Margot macht Urlaub in einem Hotel in Hamburg. | Richtig | ~~Falsch~~ |

1. Kaum ist Margot angekommen, klingelt das Telefon. | Richtig | Falsch |

2. Margot hat die Nachbarin zunächst nicht erkannt. | Richtig | Falsch |

3. Bei einem Unwetter ist etwas auf den Balkon gefallen. | Richtig | Falsch |

4. Alle Pflanzen von Margots Tochter wurden zerstört. | Richtig | Falsch |

5. Die Nachbarin hat den Balkon allein sauber gemacht. | Richtig | Falsch |

6. Margot ist froh über die Bekanntschaft mit der Nachbarin. | Richtig | Falsch |

4a Sie wollen einem Freund / einer Freundin in einer E-Mail von Ihrem Umzug berichten. Bringen Sie folgende Stichpunkte in eine sinnvolle Reihenfolge.

_____ die Kisten packen

_____ den Mietvertrag unterschreiben

_____ interessante Anzeigen markieren

_1_ Wohnungsanzeigen lesen

_____ sich für eine Wohnung entscheiden

_____ die alte Wohnung streichen

_____ eine Einweihungsparty geben

_____ die Kaution bezahlen

_____ zusammen mit Freunden alle Möbel und Kisten in die neue Wohnung bringen

_____ anrufen und Besichtigungstermine vereinbaren

_____ die Wohnungen besichtigen

b Schreiben Sie nun Ihre E-Mail.

> **TIPP** **Einen Brief / Eine E-Mail schreiben**
> Bevor Sie einen Brief oder eine E-Mail beginnen, überlegen Sie sich, was und in welcher Reihenfolge Sie schreiben wollen. Machen Sie sich Notizen und beginnen Sie erst dann mit dem Schreiben des Textes.

Aussprache: trennbare Verben

8

a Hören Sie den Dialog und unterstreichen Sie die trennbaren Verben.

○ Alles okay? Du siehst so genervt aus.
● Ach, ich hab' mich wieder aufgeregt wegen Benni.
○ Was hat er denn wieder angestellt?
● Angestellt? Wie sich das anhört. Er ist doch kein Kind mehr.
○ Naja, das sollte man annehmen … mit 23.
● Du sagst es … Er ist 23, und ich muss ihn immer noch bitten aufzuräumen und nicht alles herumliegen zu lassen.
○ Ich habe gerade gestern mit ihm darüber gesprochen.
● Es hilft aber nichts. Er kommt auch nicht auf die Idee, den Einkauf zu übernehmen.
○ Geschweige denn, dass er auch mal ein bisschen Geld dazugibt.
● Ist das ein Witz? Gestern hat er sich erst fünfzig Euro von mir geliehen.
○ Ich habe mir das auch anders vorgestellt nach seinem Abitur.
● Haben wir ihn zu sehr verwöhnt?
○ Vielleicht. Ich finde, er sollte sich mal entscheiden, ob er auszieht oder nicht.
● Also, ich habe jedenfalls keine Lust mehr auf Hotel Mama.
○ Und Hotel Papa kann er auch vergessen!

9

b Hören Sie die trennbaren Verben und markieren Sie den Wortakzent. Welche Silbe ist betont?

aufregen – anstellen – anhören – annehmen – aufräumen – herumliegen – dazugeben – vorstellen – ausziehen

c Wählen Sie eine Rolle aus, hören Sie noch einmal den Dialog aus a und sprechen Sie mit.

So schätze ich mich nach Kapitel 2 ein: Ich kann …	✚	◯	━
… in einem Radiointerview wichtige Informationen zum Thema „Obdachlosigkeit" verstehen und vergleichen. ▶M2, A3	☐	☐	☐
… die wichtigsten Informationen in kurzen Aussagen verstehen. ▶M4, A3	☐	☐	☐
… in einem privaten Gespräch wesentliche Inhalte verstehen. ▶AB M4, Ü2	☐	☐	☐
… wichtige Zahlen und Daten den Inhalten aus einem Zeitungstext zuordnen. ▶AB M2, Ü1	☐	☐	☐
… Aspekte zu verschiedenen Übernachtungen aus einem Zeitschriftenartikel sammeln. ▶M3, A2	☐	☐	☐
… mithilfe von W-Fragen die wichtigsten Informationen in einem Text finden. ▶M4, A2a	☐	☐	☐
… aus einem Text Argumente für das Wohnen bei den Eltern sammeln. ▶M4, A2c	☐	☐	☐
… Informationen in einem Blog-Beitrag verstehen. ▶AB M4, Ü3	☐	☐	☐
… eine Grafik beschreiben und mit einer Umfrage vergleichen. ▶M1, A4	☐	☐	☐
… meine Meinung sagen und Vorschläge machen, wenn es darum geht, ein Problem zu lösen oder praktische Entscheidungen zu treffen. ▶M4, A5	☐	☐	☐
… in einer E-Mail meine Meinung äußern und Ratschläge geben. ▶M4, A4b–c	☐	☐	☐
… in einer E-Mail über einen Umzug berichten. ▶AB M4, Ü4	☐	☐	☐

Das habe ich zusätzlich zum Buch auf Deutsch gemacht (Projekte, Internet, Filme, Lesetexte, …):

Datum: Aktivität:

_____   _____

_____   _____

_____   _____

_____   _____

_____   _____

Grammatik und Wortschatz weiterüben: interaktive Übungen unter www.aspekte.biz/online-uebungen1

Wortschatz

Eine Wohnung zum Wohlfühlen _a flat to feel good_

auffällig	_showy_	hingehen (geht hin, ging hin, ist hingegangen)	_to go forth_
herkommen (kommt her, kam her, ist hergekommen)	_to come here_	die Lage	_the location_
		der Platz, "-e	_the place_
herumstehen (steht herum, stand herum, hat herumgestanden)	_to stand around_	sich wohlfühlen	_to feel good_
		zerreißen (zerreißt, zerriss, hat zerrissen)	_to tear_

Modul 2 Ohne Dach _without roof_

die Alternative, -n	_the alternative_	die Hygiene	_the hygiene_
die Angst, -"e	_the fear_	die Intoleranz	_the intolerance_
arbeitslos	_unemployed_	die Isolation	_the isolation_
die Armut	_the poverty_	die Notunterkunft, -"e	_the emergency shelter_
die Ausgrenzung, -en	_the exclusion_	obdachlos	_homeless_
die Ausweglosigkeit	_the hopelessness_	die Perspektive, -n	_the perspective_
die Einsamkeit	_the loneliness_	die Randgruppe, -n	_the fringe group_
die Freiheit, -en	_the freedom_	die Schulden (Pl.)	_? the debts_
die Frustration, -en	_the frustration_	die Unabhängigkeit	_the independence_

Modul 3 Wie man sich bettet, … _how to embark_

der/die Artist/in, -en/-nen	_the artist_	der Komfort	_the comfort_
ausstatten mit	_equip with_	die Leidenschaft, -en	_the passion_
bewegend	_moving_	nutzen als	_use as_
die Branche, -n	_the industry_	die Übernachtung, -en	_the overnight_
der Gast, -"e	_the guest_	umbauen	_rebuild_
die Gemütlichkeit	_the coziness_	die Umgebung, -en	_the environment_
investieren	_to invest_		

Modul 4   Hotel Mama   *um·····*

abraten von (rät ab, riet ab, hat abgeraten)	discourage from
anhänglich	
der Anspruch, -"e	the claim
die Ausbildungszeit, -en	the training time
beweisen (beweist, bewies, hat bewiesen)	to prove
sich binden (bindet, band, hat gebunden)	to bind
sich einarbeiten	to get involved
eindeutig	clearly
das Elternhaus, -"er	the
sich entwickeln	to develop
ermutigen zu	agree
fleißig	diligent

gemütlich	cozy
der Haushalt, -e	the household
identifizieren	to identify
klarkommen mit (kommt klar, kam klar, ist klargekommen)	to deal with
der Nesthocker, -	the partnership
partnerschaftlich	
der Standpunkt, -e	the point of view
an deiner/seiner Stelle	in "x" (your) position
unabhängig	independently
die Untersuchung, -en	the investigation
die Ursache, -n	the cause
die Wäsche	the laundry

Wichtige Wortverbindungen *important word connections*

auf eigenen Beinen/Füßen stehen	on his own legs/feet stand
das Geld ist knapp	the money is short
hin und her	back and forth
Tür an Tür wohnen mit	door and door live with
die eigenen vier Wände	your own four walls
sich wie zu Hause fühlen	feels like home

Wörter, die für mich wichtig sind:

_____   _____   _____   _____
_____   _____   _____   _____
_____   _____   _____   _____
_____   _____   _____   _____

Wie geht's denn so?

Vor dem Start: Erinnern Sie sich? Diese Übungen bereiten Sie auf das Kapitel vor.

1a Notieren Sie die Namen der Körperteile mit bestimmtem Artikel.

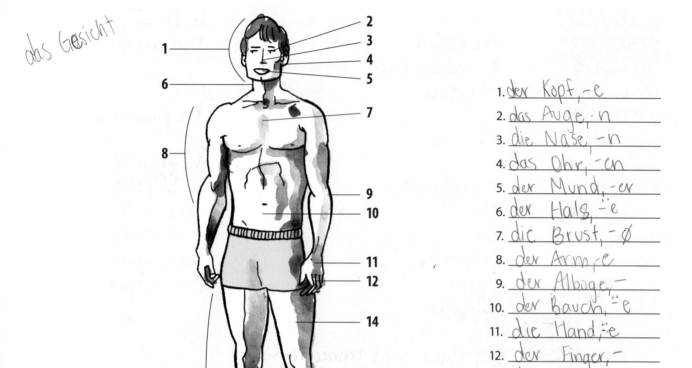

das Gesicht

1. der Kopf, -e
2. das Auge, -n
3. die Nase, -n
4. das Ohr, -en
5. der Mund, -er
6. der Hals, -e
7. die Brust, -Ø
8. der Arm, -e
9. der Ellbogen, -
10. der Bauch, -e
11. die Hand, -e
12. der Finger, -
13. das Bein, -e
14. der Oberschenkel, -
15. das Knie, -n
16. der Unterschenkel, -
17. der Fuß, -e
18. der Zeh, -en

die Wade, -n

das Schienbein, -e

der Knöchel, -Ø

b Welche anderen Körperteile und Organe kennen Sie noch? Ergänzen Sie die Liste.

2 Was macht der Arzt, was der Patient? Sortieren Sie.

ein Rezept abholen   den Blutdruck messen   nach dem Befinden fragen   sich auf die Waage stellen
eine Spritze bekommen   ein Medikament einnehmen   den Oberkörper frei machen
die Diagnose stellen   einen Termin vereinbaren   sich eine Überweisung geben lassen
ein Rezept ausstellen   die Versichertenkarte vorlegen
seine Schmerzen beschreiben   ein Medikament verschreiben   den Zahn ziehen

3 Schreiben Sie die Nummern der Nomen in die Bilder.

1. die Kapsel 3. der Verband 5. die Tablette 7. die Spritze
2. die Salbe 4. der Saft 6. die Tropfen 8. das Pflaster

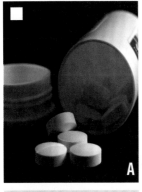   

   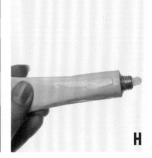

 4 Lesen Sie das Telefongespräch und ergänzen Sie die Wörter in der richtigen Form.

Krankschreibung	schlapp		wehtun	Besserung	Erkältungsmittel
	Grippe	Symptome		auskurieren	krankmelden	Fieber

○ Guten Morgen Petra.

● Hallo Simone. Was ist los? Kommst du später?

○ Mir geht's gar nicht gut. Mir (1) _____ alles _____, ich fühle mich total

(2) _____ und ich habe hohes (3) _____.

● Das klingt ja gar nicht gut. Das könnte eine (4) _____ sein. Die (5) _____

sind typisch. Du solltest unbedingt zum Arzt gehen.

○ Das will ich auch machen. Die (6) _____ aus der Apotheke helfen nämlich gar nicht.

Kannst du bitte dem Chef sagen, dass ich mich (7) _____ habe?

● Ja klar, ich gebe ihm gleich Bescheid. Vergiss nicht, die (8) _____ einzureichen.

○ Muss ich die heute noch abgeben? Ich glaube, das schaffe ich nicht.

● Nein, das muss nicht heute sein. Du hast drei Tage Zeit. Jetzt wünsche ich dir erst mal gute

(9) _____ und (10) _____ dich richtig _____.

1 Süßes – Ordnen Sie die Wörter in die Tabelle ein. Notieren Sie den bestimmten Artikel. Einige Wörter passen mehrfach.

> Glückshormon Zucker Marzipan Fett Keks Nervennahrung Bitterschokolade Psyche Nüsse
> Geschmacksverbesserer Kakao Kalorien Schokoriegel Aroma Kaugummi Nougat Sahnepulver

Bestandteile	Gesundheit	Süßigkeit

2a Süße Kalorienbomben – Lesen Sie die Rezepte und ordnen Sie die Fotos zu.

A 1 Ei, 3 Esslöffel Milch, 1 Prise Salz, 1 Esslöffel Mehl, 3 Esslöffel weiche Butter, 2 Esslöffel Ahornsirup

Mit dem Mixer Ei, Milch, Salz und Mehl in einer Schüssel verrühren. In der Pfanne 1 Teelöffel Butter erhitzen. 2 Esslöffel Teig hineingeben und zerlaufen lassen. Von einer Seite goldbraun braten. Dann wenden und auch von der anderen Seite braten. Dann auf den Teller legen, mit Butter bestreichen und mit Ahornsirup übergießen.

B 2 kleine Bananen, 1 Esslöffel Mandeln, 1 Esslöffel Butter, 1 Esslöffel Zitronensaft, 1 Esslöffel Honig

Bananen schälen. Die Mandeln grob hacken. In der Pfanne Butter erhitzen. Die Bananen hinzugeben. Die Bananen von beiden Seiten goldgelb backen. Eine Zitrone pressen. Den Zitronensaft über die Bananen gießen. Bananen auf den Teller legen und den Honig über die Bananen gießen. Mandeln darübergeben.

C 200 ml Kaffee, 1 Kugel Vanilleeis, Schlagsahne, 2 Eiswürfel

Kaffee kochen und im Kühlschrank kaltstellen. Dann Kaffee und Eiswürfel im Mixer mixen, bis das Eis zerkleinert ist. In ein hohes Glas gießen und die Kugel Vanilleeis darauf geben. Zum Schluss mit steif geschlagener Sahne garnieren.

b Erstellen Sie eine Tabelle und ergänzen Sie passende Wörter aus den Rezepten.

Mengenangaben	Zutaten/Lebensmittel	Zubereitung	Geräte/Gegenstände
der Esslöffel	*das Ei*	*rühren*	*der Mixer*

c Welche Süßspeise, welches Dessert mögen Sie gern? Schreiben Sie das Rezept.

3a Ergänzen Sie die Artikel zu den Nomen aus den Rezepten. Notieren Sie dann die Pluralformen und den Pluraltyp.

	Singular		Plural		Singular		Plural
1.	*der* Löffel	die	*Löffel (Typ 1)*	8.	_____ Kühlschrank	die	_____
2.	_____ Ei	die	_____	9.	_____ Glas	die	_____
3.	_____ Teller	die	_____	10.	_____ Pfanne	die	_____
4.	_____ Zitrone	die	_____	11.	_____ Mixer	die	_____
5.	_____ Banane	die	_____	12.	_____ Mandel	die	_____
6.	_____ Saft	die	_____	13.	_____ Schüssel	die	_____
7.	_____ Kugel	die	_____	14.	_____ Eiswürfel	die	_____

b In der Küche. Markieren Sie die Wortgrenze. Bilden Sie den Singular.

TASSEN|KUCHENFORMENGABELNTÖPFEMESSERKORKENZIEHERDECKELKANNENSCHALENUNTERTASSEN
PAPIERROLLENEIERBECHERFLASCHENKRÜGESCHNEIDEBRETTERSCHNEEBESENFLASCHENÖFFNERDOSEN
GEWÜRZESERVIETTENGESCHIRRTÜCHER

die Tassen – die Tasse, …

4 Lesen Sie den Dialog und ergänzen Sie die Nomen in der richtigen Form.

○ Schatz, möchtest du ein Dessert? Vielleicht einen Pudding mit heißen (1) *Himbeeren*

(die Himbeere)?

● Nicht für mich. In solchen (2) _____ (das Restaurant) schmeckt mir das nicht.

○ Na, ich nehme die Waffeln mit zwei (3) _____ (die Kugel) Eis.

● Bloß nicht. Deine selbst gemachten Waffeln sind doch viel besser.

○ Danke. Dann nehme ich lieber den Obstsalat mit (4) _____ (die Nuss). Das ist gut.

● Na ja, man weiß ja nie, wie frisch das Obst in diesen (5) _____ (der Salat) ist.

○ Meine Güte, an allen (6) _____ (das Dessert) hast du etwas auszusetzen.

● Also nimmst du keinen Nachtisch?

○ Nein danke, ich bin satt.

Frisch auf den Tisch?!

1 Wie heißen die Nomen? Ergänzen Sie die Wörter.

bar – bens – da – de – E – Ein – Fer – ge – Halt – halt – Haus – Ka – kaufs – keits – kett – Kun – Le – lo – mit – rich – rien – te – tel – tel – ti – tig – tum – zet

1. Ich muss jetzt wirklich los. Ich muss noch ein paar _**Lebensmittel**_ einkaufen. Brot, Obst, Nudeln und so.

2. Ich liebe diesen Supermarkt. Alle sind so nett und die Ware ist gut und günstig. Hier ist der _Kunde_ wirklich noch König!

3. Ich habe alles, was wir brauchen auf einen _Einkaufszettel_ geschrieben. Aber den habe ich leider zu Hause vergessen.

4. Ich mache ab heute Diät. Kein Fett, kein Zucker, maximal 1.500 _Kalorien_ am Tag.

5. Nicht schon wieder Pizza aus dem Kühlschrank! Ich hasse _Fertiggerichte_.

6. Ist hier viel Fett drin? Was steht denn auf dem _Etikett_?

7. Ist der Joghurt noch gut? Wann läuft denn das _Haltbarkeitsdatum_ ab?

8. In unserem _Haus_ leben vier Personen: mein Mann, unsere beiden Kinder und ich.

2a Seine Meinung äußern.
Vergleichen Sie die Redemittel.
Welche Formulierung ist stärker,
wenn Sie Ihre Meinung sehr
deutlich sagen möchten?
Kreuzen Sie an.

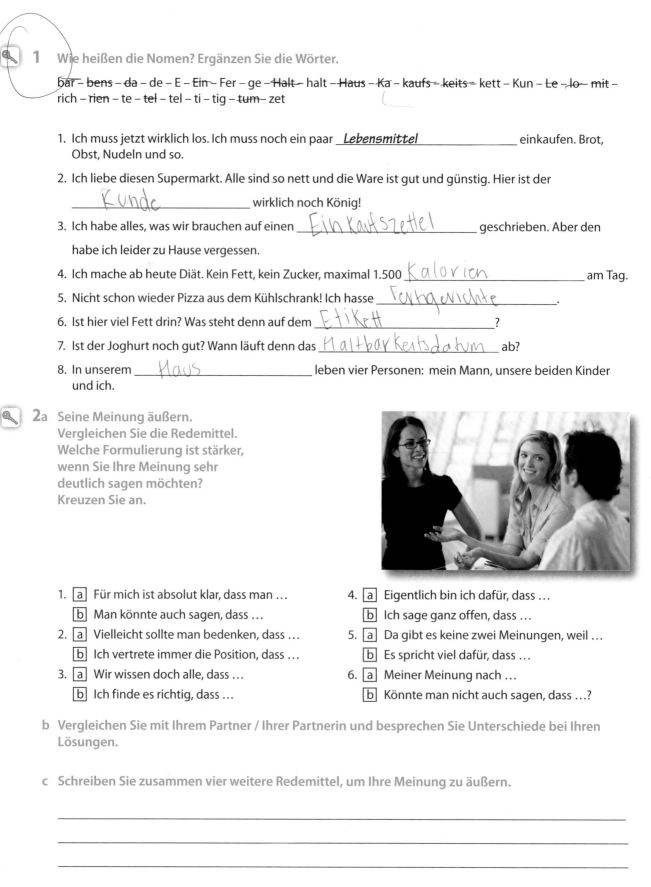

1. a Für mich ist absolut klar, dass man …
   b Man könnte auch sagen, dass …
2. a Vielleicht sollte man bedenken, dass …
   b Ich vertrete immer die Position, dass …
3. a Wir wissen doch alle, dass …
   b Ich finde es richtig, dass …

4. a Eigentlich bin ich dafür, dass …
   b Ich sage ganz offen, dass …
5. a Da gibt es keine zwei Meinungen, weil …
   b Es spricht viel dafür, dass …
6. a Meiner Meinung nach …
   b Könnte man nicht auch sagen, dass …?

b Vergleichen Sie mit Ihrem Partner / Ihrer Partnerin und besprechen Sie Unterschiede bei Ihren Lösungen.

c Schreiben Sie zusammen vier weitere Redemittel, um Ihre Meinung zu äußern.

_____

_____

_____

_____

3 Lesen Sie die Texte 1–7. Ist die Person für das Verschenken von Lebensmitteln? Kreuzen Sie an.

In einer Zeitschrift lesen Sie Kommentare zu einem Artikel, der sich damit beschäftigt, dass in deutschen Supermärkten viele essbare Lebensmittel weggeworfen werden. Der Artikel fragt, ob es nicht sinnvoller wäre, sie lieber zu verschenken als wegzuwerfen.

1	Marianne	ja	nein
2	Horst	ja	nein
3	Caroline	ja	nein
4	Patrick	ja	nein

5	Julia	ja	nein
6	Heidi	ja	nein
7	Marius	ja	nein

1 Ich bin so erzogen worden, dass man den Wert von Lebensmitteln schätzen soll. Bei uns zu Hause haben wir den Teller leer gegessen und auch kein altes Brot weggeworfen, nur, weil es schon ein bisschen trocken war. Wenn ein Apfel nicht mehr so lecker aussieht, kann man ihn trotzdem noch essen. Es gibt bestimmt viele Menschen, die sich auch über Lebensmittel, die gratis sind, freuen würden.
Marianne, 72, Würzburg

2 Der Autor des Artikels hat bestimmt noch nie in einem Supermarkt gearbeitet. Sonst wüsste er bestimmt, dass das Verschenken von Lebensmitteln große finanzielle Nachteile für das Geschäft bedeuten würde. Viele Kunden wünschen sich nun einmal frische und perfekte Ware. Und die bieten wir ihnen zu sehr guten und günstigen Preisen an.
Horst, 53, Hannover

3 Schon seit vier Jahren arbeite ich in unserer Stadt in der Sozialstation. Wir bekommen oft von den großen Supermärkten Lebensmittel gespendet. So können wir Menschen, die wenig Geld haben, ermöglichen, Lebensmittel kostenlos abzuholen. Wir sammeln und verteilen die Lebensmittel und kontrollieren auch, dass die Verteilung gerecht ist. Die Spenden an uns finde ich die beste Lösung.
Caroline, 25, Halle

4 Ist der Vorschlag, Lebensmittel zu verschenken, sinnvoll? Wäre es nicht viel wichtiger, das Verhalten der Konsumenten zu ändern? Die Supermärkte werfen doch nur das weg, was niemand mehr kauft. Warum will denn niemand mehr Bananen, die ein bisschen weicher sind? Weil wir alle verwöhnt sind. Hier sollte der Verbraucher umdenken.
Patrick, 29, Buxtehude

5 Wir leben im absoluten Luxus und viele Länder können die Diskussion gar nicht verstehen. Ich verstehe sie ja eigentlich auch nicht. Was ist daran so schwer, etwas zu geben, wovon andere Menschen noch etwas haben und womit ich selbst gar nichts mehr verdienen würde? Ganz im Gegenteil: Wenn die Supermärkte die Lebensmittel verschenken, dann können sie sogar eine Menge Müllgebühren sparen.
Julia, 19, Saarbrücken

6 Meine Freunde und ich sind Studenten, haben wenig Geld und wohnen zusammen in einer WG. Wir haben angefangen, die Lebensmittel wieder aus den Containern zu holen, wenn der Supermarkt schließt. Offiziell ist das aber nicht erlaubt und auch nicht gut für das Image, wenn Menschen aus unserer reichen Gesellschaft im Müll wühlen. Unser Vorschlag: Verkauft die Lebensmittel 80 % billiger am Ende des Tages. Dann habt ihr weniger Müll und wir müssen nicht lange suchen.
Heidi, 22, Münster

7 Lebensmittel verschenken? Das ist doch total naiv. Wer übernimmt denn die Verantwortung für die Gesundheit der Menschen? Wir haben schließlich Gesetze, z. B. für die Hygiene. Das Datum für die Haltbarkeit gehört dazu. Da müssten doch erst einmal alle wissen, bis wann man welche Lebensmittel noch essen kann, deren Haltbarkeit offiziell abgelaufen ist. Oder würden Sie ohne Bedenken Eier essen, von denen Sie nicht wissen, wie frisch die sind? Nein danke – auch nicht geschenkt.
Marius, 37, Frankfurt/Oder

1 Was bedeuten die Wörter? Ordnen Sie zu.

1. _c_ das Hormon   a rote Flüssigkeit in den Adern

2. ____ die Auswirkung   b dient zur Abwehr von Krankheiten

3. ____ das Immunsystem   c Substanz, die der Körper zur Steuerung wichtiger Vorgänge im Körper bildet

4. ____ das Blut   d das Fließen des Blutes im Körper

5. ____ der Muskel   e Maßnahme, um eine Krankheit zu heilen

6. ____ die Durchblutung   f der Effekt

7. ____ die Therapie   g braucht der Mensch zur Bewegung des Körpers

2a Erfahrungen einer Lachyoga-Lehrerin. Unterstreichen Sie im Text die Artikelwörter und markieren Sie die Adjektive.

Lachyoga sollte jeder einmal probieren. Nach einer guten Stunde fühlt man sich völlig entspannt, gut gelaunt und frisch. Ich unterrichte seit einigen Jahren Lachyoga und habe schon sehr viele positive Rück-

5 meldungen bekommen. Die meisten Kursteilnehmer schätzen nach einem intensiven Training das gute Gefühl ihres gelockerten und entspannten Körpers.

Allerdings ziehen nicht alle angemeldeten Teilnehmer einen positiven Nutzen aus einer Lachyoga-

10 Sitzung. Gelegentlich kommt es vor, dass jemand zu blockiert ist, um sich von der allgemeinen Heiterkeit anstecken zu lassen.

Auffällig ist auch, dass junge Menschen Lachyoga nicht immer annehmen.

15 In der Altersgruppe 35+, also bei Menschen, die beruflich und familiär stark gefordert sind, weist Lachyoga eine steigende Tendenz auf, weil diese einfache Methode sehr schnell und mühelos die innere Balance wiederherstellt. Zunehmend gibt es auch Menschen,

20 denen das Lachen aus den unterschiedlichsten Gründen z. B. wegen einer schweren Krankheit verloren gegangen ist. Für sie kann Lachyoga der richtige Weg sein, den notwendigen Optimismus und die eigene Lebensfreude wiederzugewinnen.

 b Ordnen Sie die im Text markierten Adjektive in die Übersicht ein.

	Typ 1	Typ 2	Typ 3
Nominativ			
Akkusativ			*viele positive Rückmeldungen*
Dativ		*einer guten Stunde*	*einigen Jahren*
Genitiv			

3 Ergänzen Sie die Endungen.

1. **Das sind** die neuest____ Sportarten, sehr anstrengend____ Sportübungen,

   alle kostenlos____ Trainingsmöglichkeiten, zwei interessant____ Vorschläge für mehr

   Bewegung, keine positiv____ Auswirkungen auf den Körper.

2. **Zeitungen berichten viel über** eine gesund____ Lebensweise, das wichtigst____

   Sportereignis des Jahres, alle aktuell____ Fußballspiele, ausgewählt____ Sport-

   veranstaltungen, das neuest____ Sportprojekt.

3. **Mein Arzt rät zu** täglich____ Bewegung, einem regelmäßig____ Ausdauertraining,

   morgendlich____ Gymnastik, einer vitaminreich____ Kost, kalorienarm____ Essen,

   mehr frisch____ Obst und Gemüse, weniger fettig____ Essen.

4. **Das ist das Programm** der gesetzlich____ Krankenkassen, unseres neu____ Sportvereins,

   der regional____ Fußballliga, eines neu____ Projektes für mehr Bewegung, meines wöchentlich____

   Gymnastikkurses.

4 Tipps zum Sporttreiben. Ergänzen Sie die Adjektive in der richtigen Form.

kalt	klein	halb	intensiv	vitaminreich	regelmäßig	ausreichend	positiv

1. Bewegen Sie sich richtig. Es ist wissenschaftlich erwiesen,

   dass Sport viele (1) _____ Effekte auf die

   Gesundheit hat, zum Beispiel auf das Herz-Kreislauf-System.

   Weil das bei jedem Menschen anders ist, sollten Sie mit

   einer (2) _____ Trainingseinheit beginnen.

2. Durch (3) _____ Sport kann man seine

   Kondition erhöhen und bleibt länger fit. Es ist besser,

   zwei- bis dreimal die Woche eine (4) _____ bis

   eine Stunde Sport zu treiben, als einmal die Woche intensiv

   zu trainieren.

3. Achten Sie auf die Signale Ihres Körpers. Planen Sie

   nach einer (5) _____ Belastung eine

   (6) _____ Erholungsphase ein.

4. Bei (7) _____ Wetter sollten Sie Intensität

   und Rhythmus der sportlichen Aktivität reduzieren.

5. Achten Sie beim Sport auf eine (8) _____ Kost. Die Kalorien sollten Sie dem Körpergewicht

   anpassen. Wichtig ist, viel zu trinken. Dazu eignet sich Mineralwasser am besten.

Ich bewege mich regelmäßig.

5 Was ist hier passiert? Schreiben Sie eine Geschichte.

| die grüne Luftmatratze ein schnelles Motorboot vorbeirasen der Rettungsring |
| hohe Wellen machen ein schlechter Schwimmer große Panik bekommen |
| ein aufmerksamer Mann ins Wasser springen sich erholen … |

6a Wortbildung: Wie heißen die Adjektive?

1. der/die Erwachsene: *erwachsen*

2. der/die Arbeitslose: _____

3. der/die Jugendliche: _____

4. der/die Neue: _____

5. der/die Betrunkene: _____

6. der/die Fremde: _____

7. der/die Verwandte: _____

8. der/die Verlobte: _____

9. der/die Behinderte: _____

10. der/die Deutsche: _____

b Ergänzen Sie die Endungen.

1. Behindert_____ Menschen müssen öffentliche Verkehrsmittel
   problemlos benutzen können.
   Behindert_____ müssen öffentliche Verkehrsmittel problemlos
   benutzen können.

2. Viele deutsch_____ Frauen und Männer sind übergewichtig.
   Viele Deutsch_____ sind übergewichtig.

3. Die Anzahl der arbeitslos_____ Menschen sinkt.
   Die Anzahl der Arbeitslos_____ sinkt.

4. Für erwachsen_____ Kinobesucher gelten andere Preise als für jugendlich_____ Kinobesucher.
   Für Erwachsen_____ gelten andere Preise als für Jugendlich_____.

5. Meine Kollegin kam mit einem fremd_____ Mann zum Betriebsfest.
   Meine Kollegin kam mit einem Fremd_____ zum Betriebsfest.

6. Der betrunken__ Fahrer musste den Führerschein abgeben.
   Der Betrunken__ musste den Führerschein abgeben.

7. Ich finde den neu__ Kollegen sehr nett.
   Ich finde den Neu__ sehr nett.

> **TIPP**
> Adjektive können zu Nomen werden.
> Sie werden aber trotzdem wie Adjektive
> dekliniert:
> *Der Arzt hilft kranken Menschen.*
> *Der Arzt hilft Kranken.*

1 Entspannt – gestresst. Sortieren Sie die Wörter.

die Entspannung	die Höchstleistung	langsam	nervös	die Ruhe	normaler Puls
~~einfallslos~~	gelassen	~~kreativ~~	konzentriert	schnell	das Leistungstief	die Nervosität
leistungsfähig	schneller Puls	vergesslich	die Unruhe	organisiert	überfordert	schwach

Ich bin entspannt.	**Ich bin gestresst.**
kreativ	*einfallslos*

2a Sehen Sie die Statistik 90 Sekunden an und versuchen Sie, sich so viele Informationen wie möglich zu merken. Decken Sie die Statistik dann mit einem Blatt zu und lösen Sie Übung b.

In welchen der folgenden Situationen oder Bereichen empfinden Sie Stress?

Zeitdruck im Beruf	49 %
Streit oder Ärger in der Familie	49 %
Gesundheitliche Sorgen	46 %
Hektik und Stress im Alltag	42 %
Finanzielle Sorgen	41 %
Beruf und Familie unter einen Hut zu bekommen	37 %
Konflikte mit Kollegen oder dem Chef	31 %
Viele familiäre Verpflichtungen	30 %
Angst vor Jobverlust	27 %

Anteil der Befragten[1]

[1] Deutschland, ab 18 Jahre; Befragte, die sich vorgenommen haben, 2010 Stress abzubauen, zu vermeiden; 1.776 Befragte; Forsa

b Lesen Sie die Aussagen zu der Statistik und entscheiden Sie: richtig oder falsch?

Das Forsa-Institut hat 1.776 Menschen dazu befragt, was sie besonders stresst.

	richtig	falsch
1. An Platz 1 stehen Zeitdruck im Beruf und Streit oder Ärger in der Familie.	☐	☐
2. Den zweiten Platz belegen familiäre Sorgen.	☐	☐
3. 42 % geben an, dass Hektik und Stress im Alltag sie belasten.	☐	☐
4. Finanzielle Sorgen stehen mit 30 % an vierter Stelle.	☐	☐
5. 37 % haben Probleme, Beruf und Hobby unter einen Hut zu bekommen.	☐	☐
6. 31 % stressen Konflikte mit den Nachbarn.	☐	☐
7. Mit 30 % und weniger stehen viele familiäre Verpflichtungen und die Angst, den Job zu verlieren, am Ende der Statistik.	☐	☐

c Hat Sie die Aufgabe gestresst? Wie konnten Sie sich die Informationen merken?

TIPP Komplexe Informationen kann man sich leichter merken, wenn man sie in eine Geschichte einbaut. *Robert ist total gestresst. Am schlimmsten ist der Zeitdruck, dann kommt er nach Hause und hat schnell Streit mit seiner Familie. Darum wird er oft krank …*

3a Hören Sie zu. Welche Stressfaktoren nennen Toni und Maja? Notieren Sie.

_____
_____
_____

_____
_____
_____

b Welche Tipps passen zu welcher Situation? Ordnen Sie zu (Toni = T, Maja = M, beide = B).

Freunde/Familie um Hilfe bitten __   mit Chef über die Aufgaben sprechen __   freie Zeiten organisieren __

Arbeit im Haushalt planen und teilen __   Probleme offen besprechen __   mehr Sport machen __

einen Firmenberater um Rat bitten __   einen Mitarbeiter/Praktikanten einstellen __   mehr Geduld haben __

c Ergänzen Sie die fünf Sätze zu Toni oder Maja.

1. Ich kann gut verstehen, dass _____.

2. Mir ging es ganz ähnlich, als _____.

3. An deiner Stelle würde ich _____.

4. Mir hat auch sehr geholfen, _____.

5. Ich würde dir auch raten, _____.

Aussprache: _ü_ oder _i_, _u_ und _ü_

1a _ü_ oder _i_? Welches Wort hören Sie? Markieren Sie.

1. Kissen – küssen   4. lügen – liegen   7. Tür – Tier   10. Küste – Kiste

2. Kiel – kühl   5. Münze – Minze   8. für – vier   11. Züge – Ziege

3. spielen – spülen   6. fielen – fühlen   9. Bühne – Biene

> **TIPP**
> So sprechen Sie das _ü_:
> Sprechen Sie ein _i_ und
> machen Sie die Lippen
> rund wie bei einem _o_.

b Hören Sie noch einmal und sprechen Sie nach.

c Lesen Sie alle Wörter aus 1a laut. Hören Sie dann und sprechen Sie mit.

2a _u_ und _ü_, Singular und Plural. Ergänzen Sie den Plural.

1. das Buch   _____   5. der Zug   _____

2. der Strumpf   _____   6. der Fluss   _____

3. der Gruß   _____   7. die Mutter   _____

4. das Tuch   _____   8. der Hut   _____

b Sprechen Sie die Nomen im Singular und Plural, achten Sie auf die Regeln. Hören Sie dann die CD zur Kontrolle.

1. Langes _u_ im Singular → Langes _ü_ im Plural.
2. Kurzes _u_ im Singular → Kurzes _ü_ im Plural.

So schätze ich mich nach Kapitel 3 ein: Ich kann …	+	○	−
… wesentliche Informationen aus einem Radiobeitrag zum Ess- und Einkaufverhalten der Deutschen verstehen. ▶M2, A1b	☐	☐	☐
… in einem Gespräch Informationen zur Initiative „Zu gut für die Tonne" verstehen. ▶M2, A2b	☐	☐	☐
… detaillierte Informationen in einem Radiobeitrag zum Thema „Biorhythmus" verstehen. ▶M4, A3a, b	☐	☐	☐
… Aussagen zu Stress-Situationen verstehen. ▶AB M4, Ü3	☐	☐	☐
… unterschiedliche Themenaspekte in einem Sachtext zum Thema „Schokolade" verstehen. ▶M1, A2a	☐	☐	☐
… einen Sachtext zum Thema „Lachyoga" verstehen. ▶M3, A2a	☐	☐	☐
… Meinungen zum Verschenken von Lebensmitteln verstehen. ▶AB M2, Ü3	☐	☐	☐
… meine Vorlieben bei Süßigkeiten nennen und sagen, wann in meiner Heimat Schokolade verschenkt wird. ▶M1, A1, A3	☐	☐	☐
… berichten, welche Ess- und Einkaufsgewohnheiten es in meinem Land gibt. ▶M2, A1d	☐	☐	☐
… meine Meinung zum Thema „Lebensmittel verschwenden" sagen. ▶M2, A3	☐	☐	☐
… meinen Tagesablauf beschreiben. ▶M4, A1b	☐	☐	☐
… Informationen aus einem Text über den Biorhythmus zusammenfassen. ▶M4, A2	☐	☐	☐
… über Lösungen für Stresssituationen sprechen. ▶M4, A4b	☐	☐	☐
… Tipps geben, wie man sich am besten entspannt. ▶M4, A5	☐	☐	☐
… meine Meinung zu Forumsbeiträgen schreiben. ▶M2, A3b	☐	☐	☐
… ein Rezept für eine Süßspeise schreiben. ▶AB M1, Ü2c	☐	☐	☐
… in einer E-Mail über einen Zeitungsartikel berichten. ▶M3, A5	☐	☐	☐
… einen Forumsbeitrag zum Thema „Stress" schreiben. ▶M4, A6	☐	☐	☐

Das habe ich zusätzlich zum Buch auf Deutsch gemacht (Projekte, Internet, Filme, Lesetexte, …):

Datum: _____ Aktivität: _____

Grammatik und Wortschatz weiterüben: interaktive Übungen unter www.aspekte.biz/online-uebungen1

Wortschatz

Modul 1   Eine süße Versuchung

aromatisch	aromatic	herb	bitter
bitter	bitter	der Kakao, -s	cocoa
cremig	creamy	köstlich	delicious
enthalten (enthält, enthielt, hat enthalten)	to contain	naschen	to eat
		der Nerv, -en	the nerve
der/die Feinschmecker/in, -/-nen	gourmet, connoisseur	das Marzipan	marzipan
		sauer	sour
das Fett, -e	the fat	scharf	spicy
fruchtig	fruity	das Vergnügen, -	to enjoy yourself
der Geschmack	the flavor	die Zutat, -en	ingredient
gewürzt	spiced		

Modul 2   Frisch auf den Tisch?!

die App, -s	app	die Tiefkühlware, -n	
ekelig	gross	die Tonne, -n	
entsorgen		verantwortungsvoll	
das Fertiggericht, -e		verbrauchen	
die Kalorie, -n		verschwenden	
lagern		wegwerfen (wirft weg, warf weg, hat weggeworfen)	
schockiert sein			
der Skandal, -e			
spenden			

Modul 3   Lachen ist gesund

abnehmen (nimmt ab, nahm ab, hat abgenommen)		geraten in	
		das Hormon, -e	
		das Immunsystem, -e	
aktivieren		der Muskel, -n	
die Auswirkung, -en		praktizieren	
die Durchblutung		schädlich	
erfrischen		therapeutisch	
das Fachgebiet, -e		die Träne, -n	
gehören zu		die Wirkung, -en	

Modul 4 Bloß kein Stress!

sich ausruhen _____   das Kurzzeitgedächtnis _____

die Auszeit, -en _____   das Langzeitgedächtnis _____

bestimmen _____   die Leistungsfähigkeit _____

der Biorhythmus, -rythmen _____   das Leistungshoch, -s _____

erledigen _____   das Leistungstief, -s _____

der Feierabend, -e _____   der Nachtmensch, -en _____

der Frühaufsteher, - _____   überfordert _____

gestresst _____   verständlich _____

sich konzentrieren auf _____

Wichtige Wortverbindungen:

jmd. das Leben schwer machen _____

im Müll landen _____

die Nacht zum Tag machen _____

die innere Uhr _____

jmd. etw. in die Schuhe schieben _____

Es ist kein Wunder, dass … _____

Wörter, die für mich wichtig sind:

_____ _____ _____ _____

_____ _____ _____ _____

_____ _____ _____ _____

_____ _____ _____ _____

Viel Spaß!

Vor dem Start: Erinnern Sie sich? Diese Übungen bereiten Sie auf das Kapitel vor.

 1 Sortieren Sie die Wörter in die Tabelle ein. Manchmal gibt es mehrere Möglichkeiten.

das Instrument	die Bühne	die Rolle	der Regisseur	der Roman	die Zeichnung	Rad fahren
der Hit	mischen	die Malerei	die Oper	das Schwimmbad	joggen	die Band	der Chor	trainieren
~~der Würfel~~	die Galerie	das Kartenspiel	raten	das Gedicht	die Disco	der Club	Ski fahren
das Publikum	das Gemälde	das Brettspiel	das Museum	die Spielregel	die Ausstellung

Spiele	Fitness und Sport	Musik	Literatur und Theater	Bildende Kunst
der Würfel				

TIPP | **Wörter in Gruppen lernen**
Wörter, die zu einer Themengruppe gehören, kann man gut zusammen lernen und sich so schneller wieder an sie erinnern.

 2 Bilden Sie Sätze. Wohin gehen/fahren Sie, wenn Sie …

1. spazieren gehen wollen?
2. klettern wollen?
3. lesen wollen?
4. einen Film sehen wollen?
5. tanzen wollen?
6. Freunde treffen wollen?
7. schwimmen wollen?
8. chatten wollen?
9. angeln wollen?
10. Sport treiben wollen?
11. Tennis spielen wollen?
12. sich entspannen wollen?

| Park | Kino | See | Freibad | Schreibtisch | Tennisplatz | Internetcafé | Sportplatz |
| Sauna | Bibliothek | Disco | Gebirge | Biergarten | Kneipe | Fitnessstudio |

1. *Wenn ich spazieren gehen will, gehe ich in den Park oder an den See.*

3a In der Freizeit. Was passt? Ordnen Sie zu. Manche Wörter passen mehrmals.

> vorbereiten entspannen vertreiben besuchen erklären reservieren ausleihen ansehen
> erleben verabreden besorgen unternehmen einladen schicken treffen annehmen
> feiern

1. sich in der Freizeit _entspannen, verabreden, besuchen, treffen_
2. etwas mit der Familie _____
3. sich mit Freunden _____
4. sich die Zeit _____
5. einen Film _____
6. ein Fest _____
7. eine Einladung _____
8. Theaterkarten _____
9. ein Spiel _____
10. ein Abenteuer _____
11. die Verwandten _____

b Wie heißen die Nomen? Notieren Sie mit Artikel.

1. besuchen: _____   4. erklären: _____

2. entspannen: _____   5. sich verabreden: _____

3. erleben: _____   6. vorbereiten: _____

4 Welches Verb passt nicht? Streichen Sie durch.

1. ein Spiel erklären – gewinnen – unternehmen – verlieren
2. die Freizeit planen – verbringen – genießen – verabreden
3. einen Film beschreiben – beobachten – ansehen – kritisieren
4. eine Ausstellung besorgen – besuchen – eröffnen – empfehlen
5. sich am Wochenende erholen – entspannen – erleben – ausruhen

5 Freizeitaktivitäten. Schreiben Sie wie im Beispiel.

RADFAHREN	F	S
RUDERN	R	O
KLETTERN	E	N
STRICKEN	I	N
ZEICHNEN	Z	T
LESEN	E	A
EISLAUFEN	I	G
TAUCHEN	T	

1a Lesen Sie den Text und die Aussagen 1 bis 6 dazu. Sind die Aussagen richtig oder falsch?

Miros Blog: Alltag, Arbeit, Freizeit und noch viel mehr

Hilfe, ich bin mal wieder total im Stress! Aber im Moment ist nicht mein Job schuld, da habe ich eigentlich gerade eine ziemlich entspannte Phase. Es ist meine Freizeit, die so anstrengend ist.

Wenn ich Jutta auf Dienstag verschiebe, dann könnte ich heute mit Xaver ins Kino gehen. Das wäre gut, denn ab morgen läuft der Film nicht mehr. Dann müsste ich nur die Verabredung mit Hannes auf Donnerstag verschieben. Aber halt, das geht nicht! Da habe ich ja Basketball. Dann vielleicht auf Freitag. Ach nee, da ist das Geburtstagsfest von Eva.

Was für ein Stress! Ich habe mich zu einem Freizeitmanager entwickelt. Ich weiß gar nicht mehr, wann ich zuletzt einfach mal so in den Tag hineingelebt habe. Oder mal ein freies Wochenende hatte, das nicht von vorn bis hinten durchgeplant war mit Aktivitäten. Aber wie vermeidet man diesen Freizeitstress am besten? Ich brauche einen Plan. Ich glaube, es wäre ganz gut, das Handy öfter mal am Abend oder am Wochenende auszumachen. Dieses ewige Checken von E-Mails und Nachrichten ist echt anstrengend. Aber irgendwie schaffe ich das nicht, es könnte ja doch ein wichtiger Anruf kommen.

Ein Kollege hat mir erzählt, dass er in seinem Kalender immer drei Abende freihält, an denen er keine Verabredungen oder Termine einträgt. An diesen Abenden entscheidet er ganz spontan, was er machen will. Das kann auch einfach mal nur „aus dem Fenster sehen" sein. Finde ich gut, die Idee, das werde ich auch ausprobieren. Nichts zu tun, ist ja gar nicht so einfach in Zeiten von Social Media: Ständig posten alle Leute Fotos, was sie Tolles machen. Da will man ja auch mithalten können. Ich habe immer das Gefühl. dass ich auch zeigen muss, was ich alles so unternehme – ganz schön stressig. Dabei ist es wirklich wichtig, ab und zu zur Ruhe zu kommen und sich zu erholen, sonst wird man krank. Jeder weiß das! Und trotzdem gelingt es mir so selten, mir mal richtige Auszeiten vom (Freizeit-)Stress zu gönnen.

	richtig	falsch
1. Miro ist besonders von seiner Arbeit gestresst.	☐	☐
2. Es gibt wenige Tage, an denen Miro nichts vorhat.	☐	☐
3. In Zukunft schaltet Miro am Abend und am Wochenende sein Handy aus.	☐	☐
4. Miro will versuchen, sich an ein paar Abenden nichts vorzunehmen.	☐	☐
5. Miro denkt, dass er auch Fotos in Online-Netzwerken posten muss.	☐	☐
6. Für die Gesundheit ist es wichtig, immer aktiv zu sein.	☐	☐

b Schreiben Sie einen Kommentar zu Miros Blogeintrag. Berichten Sie über Ihre Erfahrungen mit Freizeitstress und geben Sie Miro Tipps.

Das kann ich gut nachvollziehen, denn …
Ich habe die Erfahrung gemacht, dass …
Vielleicht solltest du mal …

2a Komparativ und Superlativ. Ergänzen Sie die Formen in der Tabelle sowie drei weitere Adjektive mit Komparativ und Superlativ.

Grundform	Komparativ	Superlativ
alt		
	gesünder	
häufig		
kurz		
		am längsten
	netter	
süß		
		am teuersten
	lieber	
gut		
	mehr	

b Ergänzen Sie einen passenden Komparativ aus 2a.

1. ○ Gehen wir am Wochenende zusammen ins Kino?

   ◉ Ich möchte eigentlich _____ zu Hause bleiben.

2. ○ Komm, wir gehen joggen. Das ist _____, als am Computer zu spielen.

3. ○ Seit ich Teilzeit arbeite, habe ich endlich _____ Zeit, um meine Eltern

   _____ zu besuchen.

4. ○ Normalerweise arbeite ich nur bis 18 Uhr. Aber diese Woche muss ich jeden Abend

   _____ im Büro bleiben und dann ist es zu spät, um noch etwas zu

   unternehmen.

5. ○ In welches Restaurant gehen wir? Ins Teresa oder ins Bella Vista?

   ◉ Lass uns doch ins Teresa gehen, da schmeckt das Essen _____.

   ○ Ja, es ist aber auch _____, da gibt es ja kein Hauptgericht unter 20 Euro!

6. ○ Kommt Tinas neuer Freund auch mit zum Wandern?

   ◉ Ja. Der ist viel _____ als ihr letzter Freund, oder?

   ○ Stimmt, der ist echt sympathisch.

3 Vergleiche mit *als* und *wie*. Was ist richtig? Kreuzen Sie an.

Mein Freund ist genauso aktiv (1) ☑ wie ☐ als ich.
Aber manchmal ist es schwierig. Ich finde, er entscheidet öfter (2) ☐ wie ☑ als ich, was wir machen. Das heißt
dann Sport. Ich mache nicht so gern Sport (3) ☑ wie ☐
als Chris. Ich finde Kultur, also Kino, Ausstellungen und
Museen, viel interessanter (4) ☐ wie ☑ als Mountain-
biken im Wald. Einen lustigen Film finde ich eigentlich
auch entspannender (5) ☐ wie ☑ als jeden Abend
Fitnessstudio. Chris ist natürlich der Meinung, nichts
tut so gut (6) ☑ wie ☐ als Bewegung. Na ja …

4 Ergänzen Sie die Adjektive im Superlativ. Achten Sie auf die Endungen.

1. Schau mal, das ist das ___größte___ (groß) Schwimmbad mit den
   ___vielen meisten___ (viel) Attraktionen hier. Gehen wir dort am Wochenende hin?
2. Das war der ___langweiligste___ (langweilig) Film, den ich je gesehen habe!
3. Immer dieser Freizeitstress! ___am liebsten___ (gern) würde ich mal nichts tun.
4. Die ___gute beste___ (gut) Entspannung ist für mich, mit meinen Kindern zu spielen.
5. Ich war jetzt in drei Museen und das letzte hat mir ___am wenigsten___ (wenig) gefallen.
6. Faulenzen ist für mich ___am erholsamsten___ (erholsam), da kann ich richtig Energie tanken.

5 Komparativ (K) und Superlativ (S). Ergänzen Sie. Achten Sie auf die Endungen.

| ~~jung~~ | ~~gern~~ | ~~gut~~ | ~~hoch~~ | ~~schnell~~ | neu | ~~ruhig~~ | ~~gefährlich~~ |

1. Ich verbringe meine Freizeit ___am liebsten___ (S) mit meiner Familie. Am Wochenende
   unternehme ich oft etwas mit meinen ___jüngeren___ (K) Geschwistern.
2. Mein Freund ist ein bisschen anstrengend. Man kann nie etwas Normales mit ihm machen. Er will immer
   auf den ___höchsten___ (S) Berg steigen, die ___schnellsten___ (S) Motorradrennen
   fahren, das ___gefährlichsten___ (S) Abenteuer erleben.
3. Ich will mal ein ___ruhigeres___ (K) Wochenende verbringen als sonst, ich war nur unterwegs in
   letzter Zeit.
4. Radtouren sind mein neues Hobby, aber mein Rad ist nicht mehr das ___gut neueste___ (S),
   ich brauche unbedingt ein ___neu besseres___ (K) Rad.

6 Rund um das Thema „Freizeit". Stellen Sie Vergleiche an und schreiben Sie Sätze mit *als* und *wie*.

1. in der Stadt / auf dem Land
2. Sommer / Winter
3. schwimmen / Ski fahren
4. Kino / Theater
5. allein / mit Freunden
6. zu Hause / Restaurant

In der Stadt gibt es mehr Kinos als auf dem Land
Auf dem Land gibt es nicht so viele Freizeitmöglichkeiten wie in der Stadt.

1 Bilden Sie so viele Wörter mit „Spiel" wie möglich. Arbeiten Sie auch mit dem Wörterbuch.

das Spielfeld, verspielt, _____

_____

_____

_____

2 Was bedeuten die markierten Wörter? Verbinden Sie mit den Erklärungen.

1. Bau doch schon mal das **Spielfeld** auf.

2. Ich kann die Präsentation gestalten, wie ich will. Ich habe da viel **Spielraum**.

3. Die Leute zu überzeugen war ja ein **Kinderspiel**, total einfach.

4. Weißt du, welche Stücke in dieser **Spielzeit** laufen?

5. Seine **Spielsucht** hat ihn finanziell ruiniert.

6. Egal, wenn wir verlieren, es ist ja nur ein **Freundschaftsspiel**.

A etwas, das man leicht, ohne große Mühe tun kann

B der unwiderstehliche Drang zu spielen

C Spiel außerhalb eines Wettbewerbs

D die Möglichkeit, kreativ zu sein oder frei zu entscheiden

E Fläche, auf der ein Spiel stattfindet

F eine Saison im Theater, die normalerweise mit einer Premiere beginnt

3 Lesen Sie das Interview „Warum spielt der Mensch?" im Lehrbuch noch einmal und bringen Sie die Zusammenfassung in die richtige Reihenfolge.

_6_ Dort werden neben den Spieleklassikern ständig neue Spiele angeboten. Beliebt sind heute natürlich auch Computerspiele.

_1_ Für eine normale Entwicklung ist es wichtig, dass Kinder spielen, denn dabei werden Wahrnehmung und Motorik trainiert.

_7_ Wichtig ist, dass man nicht zu viel Zeit damit verbringt und den Bezug zur Realität nicht verliert.

_2_ Durch die Interaktion mit anderen wird auch das Sozialverhalten der Kinder geschult.

_5_ Es gibt Spiele, die spielt man auf der ganzen Welt, andere sind typisch für eine bestimmte Kultur. Und der Spielemarkt entwickelt sich ständig weiter.

_4_ Dafür haben wir heute auch mehr Zeit als die Menschen früher. Was wir spielen, kann sich allerdings kulturell unterscheiden.

_3_ Aber nicht nur Kinder, sondern auch Erwachsene spielen gern, z. B. um sich zu entspannen.

Abenteuer im Paradies

1a Lesen Sie die drei Textanfänge zu einer Abenteuergeschichte. Welcher gefällt Ihnen am besten?

> **A** Sie erwachten von einem Geräusch. Martha sprang blitzschnell aus dem Bett. Aber leider zu spät. „Dieser blöde Affe hat schon wieder was geklaut. Ich drehe ihm den Hals um, wenn ich ihn erwische." Markus knurrte nur unter seiner Decke: „Mach das Licht aus, es kommen nur noch mehr Moskitos rein." – „Ich habe gerade mal eine Stunde geschlafen", maulte Martha, „und um fünf Uhr geht die Safari los." – „Dann sei doch endlich ruhig und schlaf." Markus gähnte und schon im nächsten Moment schnarchte er wieder leise und zufrieden. „Na prima!", dachte Martha …

> *B Es waren harte Zeiten in England. Wer Arbeit hatte, musste schwer schuften, um für die Familie Brot und das Dach über dem Kopf zahlen zu können. Wer keine Arbeit hatte, der konnte nicht ehrlich bleiben, wenn er nicht verhungern wollte. Ich gehörte zu der letzten Gruppe und trotzdem weinte meine Mutter, als ich diese elende Stadt verließ, um auf der „Black Panther" anzuheuern und als Matrose zur See zu fahren. Überall würde es besser sein als hier. Doch schon bald …*

> **C** Donnerstag: Ich mag Donnerstage nicht besonders. Warum? Das ist eine lange Geschichte, die ich hier nicht erzählen will. Ich erzähle lieber von Lotti, einem Mädchen mit langen roten Zöpfen, das ich ihr Leben lang kannte. Sie und ihre Eltern waren Nachbarn im selben Mietshaus. Jeden Tag haben Lotti und ich zusammen im Hof gespielt. Das heißt: Sie hat gespielt und ich habe ihr zugesehen. Denn ich konnte nur im Hof sitzen, sie konnte laufen und springen. Und ich habe Lotti dafür gehasst. Dann zogen Lottis Eltern fort aus unserem Haus, unserer Straße, unserer Stadt. Doch schon bald sollten wir uns wiedersehen …

b Schreiben Sie für „Ihre Geschichte" einen weiteren Absatz. Tauschen Sie Ihre Geschichten im Kurs und schreiben Sie einen weiteren Absatz. Tauschen Sie wieder … Lesen Sie am Ende gemeinsam alle Geschichten im Kurs.

 2 Diese Wörter passen zu einem Abenteuer. Ergänzen Sie die fehlenden Wörter. Sammeln Sie vier weitere Paare. Sie können auch das Wörterbuch verwenden.

Nomen	Adjektive	Nomen	Adjektive
die Spannung		die Hitze	
die Exotik	*exotisch*		glücklich
die Einsamkeit		die Überraschung	
	ängstlich		mutig
	heldenhaft	die Gefahr	

3 *deshalb* oder *trotzdem?* Ergänzen Sie die Konnektoren.

1. Ich liebe Inseln, _deshalb_ fahren wir im April nach Island.

2. Der Flug ist ziemlich teuer, _trotzdem_ haben wir gebucht.

3. Wir können am Anfang in Reykjavík bei Freunden wohnen, _deshalb_ ist es dort nicht ganz so teuer für uns.

4. Mein Freund fährt gerne durch die Natur, _deshalb_ mieten wir einen Jeep.

5. Ich bin eigentlich eher Fan von Urlaubszielen mit warmem Klima, _trotzdem_ wollte ich schon immer nach Island.

4 Was passt? Markieren Sie das Verb im Satz mit Konnektor und kreuzen Sie dann den passenden Konnektor an.

1. Ich muss noch einkaufen gehen, ☐ weil ☒ denn ich fahre übermorgen in Urlaub.

2. Ich fahre nach Afrika, ☒ deshalb ☐ sodass ich hoffentlich endlich Löwen und Giraffen sehen kann.

3. ☐ Denn ☒ Weil ich sehr gerne fotografiere, freue ich mich sehr auf die Safari.

4. ☐ Trotzdem ☒ Obwohl es nicht die allerbeste Reisezeit ist, kann ich hoffentlich mit meiner neuen Kamera tolle Fotos machen.

5 Schreiben Sie die Sätze.

1. Luan: jedes Jahr mit dem Fahrrad in Urlaub fahren | deshalb | er: ein sehr stabiles Rad brauchen

2. er: letztes Jahr nur bis zum Bodensee fahren | weil | er: nur neun Tage Urlaub haben
   weil er nur neun Tage Urlaub hatte.

3. er: dieses Jahr auch nur zwölf Tage Urlaub nehmen können | deshalb | er: „nur" von München bis Florenz fahren wollen

4. er: die Strecke im September fahren | denn | im August zu heiß sein

5. aber im September manchmal viel Regen | so … dass | er: letztes Jahr zwei Tage nicht weiterfahren können

6. Reisen oft sehr anstrengend | trotzdem | er: jedes Jahr wieder fahren wollen

7. er: seine Freundin schon oft zu einer Tour überredet | obwohl | sie: nicht so gerne Fahrrad fahren

1. Luan fährt jedes Jahr mit dem Fahrrad in Urlaub, deshalb braucht er ein sehr stabiles Rad.

6 Die Abenteuer von Herrn und Frau K. Was sie von ihrem Fenster aus alles sehen. Formulieren Sie die Sätze um.

1. Fast ein Unfall! Ein Auto muss bremsen, weil ein Mann bei Rot über die Straße geht. *(denn)*
2. Der Hund läuft weg, obwohl seine Besitzerin ihn ruft. *(trotzdem)*
3. Obwohl der Gemüseladen schon zu hat, klopft eine Frau an die Ladentür. *(trotzdem)*
4. Die Feuerwehr kommt, weil Rauch aus einer Wohnung aufsteigt. *(denn)*
5. Eine Frau stolpert und verletzt sich am Bein, sodass ein Mann einen Krankenwagen rufen muss. *(deswegen)*
6. Die verletzte Frau ist ungeduldig, denn der Krankenwagen ist immer noch nicht da. *(weil)*
7. Obwohl der Krankenwagen jetzt kommt, schimpft die Frau. *(trotzdem)*
8. Die Frau schimpft so laut, dass die Sanitäter nicht mit ihr sprechen können. *(deswegen)*

1. Ein Auto muss bremsen, denn ein Mann geht …

7 Setzen Sie die passenden Konnektoren in die Lücken ein.

so … dass	weil	trotzdem	deshalb	so … dass	denn

Viele Menschen träumen von aufregenden Weltreisen. Allerdings ist das (1) _____ teuer,

_____ es sich viele nicht leisten können. Sie können keine Weltreisen machen,

(2) _____ geben sie Geld für teure Reiseausrüstungen aus – dann fühlen sie sich dem

Abenteuer Weltreise viel näher. Manche Menschen besuchen auch Diashows von Weltreisenden,

(3) _____ sie viel von der Welt sehen wollen, auch wenn sie selbst nicht überallhin reisen

können. A. Summer wollte das zusammenbringen und (4) _____ hat er ein Geschäft

eröffnet: Er verbindet Café, Buchladen mit Reise-Bildbänden und Reiseausstattung mit Präsentations-

veranstaltungen von Abenteuerreisen. Mittlerweile ist sein Geschäft „Welt-Café" (5) _____

beliebt, _____ er das Geschäft erweitern möchte. Ab August kann er die Geschäftsräume

nebenan dazumieten, (6) _____ der jetzige Mieter zieht aus. Hier kann er dann Spezialitäten

aus aller Welt anbieten.

8 Ergänzen Sie die Sätze.

1. Ich suche ein abenteuerliches Reiseziel, weil …
2. In dieser Gegend ist es so einsam, dass …
3. Obwohl …, hat Herr Knöller einen Kredit für die Reise aufgenommen.
4. Familie Schneider muss die Weltreise abbrechen, denn …
5. Das Abenteuer war sehr anstrengend, trotzdem …
6. Luan zeigt heute die Bilder von seiner letzten Radreise, darum …
7. Da …, will Claudia keinen Abenteuerurlaub mehr machen.

1 Lesen Sie noch einmal die Mail im Lehrbuch. Schreiben Sie eine Antwort an Gabi. Vergessen Sie nicht Datum und Anrede, und schreiben Sie auch eine passende Einleitung und einen passenden Schluss.

Schreiben Sie ein bis zwei Sätze zu folgenden Punkten:
- Dank für die Mail und die vielen Vorschläge
- welchen Vorschlag Sie interessant finden und warum
- was Sie davon halten, zu Hause zu bleiben
- warum Sie gerne eine Stadtführung machen würden

> *Liebe Gabi,*
> *vielen Dank für deine Mail, ich habe mich sehr darüber gefreut! Das ist ja toll, dass du …*

 2 Welche Adjektive beschreiben einen Film positiv, welche negativ?

> interessant̶ langweilig einzigartig eintönig unvergessen humorvoll fesselnd
> spannend überwältigend monoton unterhaltsam geschmacklos umwerfend
> ergreifend u̶n̶r̶e̶a̶l̶i̶s̶t̶i̶s̶c̶h̶ langatmig
> vielversprechend sehenswert fantastisch originell bemerkenswert erfolgreich humorlos

positiv	negativ
interessant,	unrealistisch,

  3 Lesen Sie die Aufgaben 1–7 und hören Sie das Gespräch einmal. Wählen Sie: Sind die Aussagen Richtig oder Falsch?

Sie warten auf die U-Bahn und hören, wie sich ein Mann und eine Frau über einen Überraschungsabend unterhalten.

1. Rana hatte an dem Überraschungsabend Geburtstag. ☐ Richtig ☐ Falsch
2. Simon kennt das neue Lokal an der Hauptpost. ☐ Richtig ☐ Falsch
3. Amelie studiert Germanistik in Paris. ☐ Richtig ☐ Falsch
4. Rana sieht sehr gerne Filme mit viel Action. ☐ Richtig ☐ Falsch
5. Rana geht selten ins Kino. ☐ Richtig ☐ Falsch
6. Nach dem Kino sind sie auf ein Konzert gegangen. ☐ Richtig ☐ Falsch
7. Simon möchte mit Rana einen Tanzkurs machen. ☐ Richtig ☐ Falsch

4 Lösen Sie das Kreuzworträtsel. Das senkrechte Wort ergibt einen Begriff aus dem Theater. Welchen?

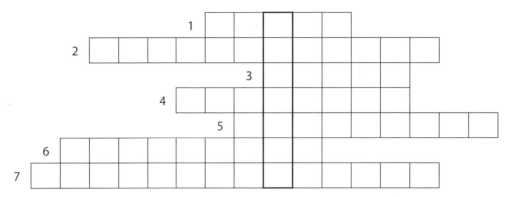

1. ein Trauerspiel
2. jemand, der auf der Bühne eine Person darstellt
3. die kurze Zeit, in der man das Theaterstück unterbricht
4. die Menschen, die im Theater zuschauen
5. Ort, an dem man im Theater Mäntel und Jacken abgeben kann
6. eine Person, die den Schauspielern sagt, wie sie spielen müssen
7. Ticket, mit dem man ins Theater gehen kann

Das Lösungswort: _____

Aussprache: Satzakzent

16

a Hören Sie die Sätze und sprechen Sie nach. Markieren Sie die betonten Wörter und kreuzen Sie die Regel an.

1. Er geht gern ins Theater.

2. Ich habe Lust auf Kino.

3. Wir gehen abends essen.

Regel: Wenn der Sprecher kein Wort besonders hervorheben will, ist der Satzakzent meist
am Anfang des Satzes. ☐
in der Mitte des Satzes. ☐
am Ende des Satzes. ☐

17

b Achten Sie auf die Betonung. Welche Information ist dem Sprecher wichtig? Markieren Sie und ordnen Sie die passende Antwort zu.

1. Hat Martin die Nachtwächtertour in Zürich gemacht?

2. Hat Martin die Nachtwächtertour in Zürich gemacht?

3. Hat Martin die Nachtwächtertour in Zürich gemacht?

4. Hat Martin die Nachtwächtertour in Zürich gemacht?

A Nein, er hat die Tour in Schaffhausen gemacht.

B Nein, er hatte keine Lust.

C Nein, er hat eine normale Stadtbesichtigung gemacht.

D Nein, Thomas hat die Tour gemacht.

c Arbeiten Sie zu zweit. Schreiben Sie Fragen und Antworten wie in b. Fragen Sie dann Ihren Partner / Ihre Partnerin. Richtig betont? Richtige Antwort gefunden? Tauschen Sie dann die Rollen.

So schätze ich mich nach Kapitel 4 ein: Ich kann …	+	○	−
… einen Radiobeitrag über Freizeitgestaltung verstehen. ▶M1, A1b–d	☐	☐	☐
… Informationen bei einer Stadtführung verstehen. ▶M4, A5b, c	☐	☐	☐
… ein Gespräch zwischen zwei Personen verstehen. ▶AB M4, Ü3	☐	☐	☐
… in einem Interview zum Thema „Spielen" die wesentlichen Informationen verstehen. ▶M2, A2	☐	☐	☐
… einen Blog zum Thema „Freizeitstress" verstehen. ▶AB M1, Ü1a	☐	☐	☐
… eine kurze Abenteuergeschichte verstehen. ▶M3, A1a, b	☐	☐	☐
… Kritiken zu Filmen und Theaterstücken verstehen. ▶M4, A3b, A4b	☐	☐	☐
… über Informationen aus Statistiken zum Thema „Freizeitbeschäftigungen" sprechen. ▶M1, A1a	☐	☐	☐
… über mein Freizeitverhalten sprechen. ▶M1, A2b	☐	☐	☐
… über Freizeitangebote berichten. ▶M1, A3, M4, A2	☐	☐	☐
… ein Spiel beschreiben und erklären. ▶M2, A3	☐	☐	☐
… andere Personen zu einem Theaterbesuch überreden. ▶M4, A4b	☐	☐	☐
… wesentliche Aussagen aus einem Interview notieren. ▶M1, A1d	☐	☐	☐
… einen Kommentar zum Thema „Freizeitstress" schreiben. ▶AB M1, Ü1b	☐	☐	☐
… eine kurze Abenteuergeschichte schreiben. ▶M3, A3a, AB M3, Ü1b	☐	☐	☐
… eine kurze Filmbesprechung schreiben. ▶M4, A3c	☐	☐	☐
… eine E-Mail mit Vorschlägen für gemeinsame Freizeitveranstaltungen schreiben. ▶M4, A6b, AB M4, Ü1	☐	☐	☐

Das habe ich zusätzlich zum Buch auf Deutsch gemacht (Projekte, Internet, Filme, Lesetexte, …):

Datum: Aktivität:

_____ _____

_____ _____

_____ _____

_____ _____

_____ _____

Grammatik und Wortschatz weiterüben: interaktive Übungen unter www.aspekte.biz/online-uebungen1

Wortschatz

Modul 1 Meine Freizeit

der Durchschnitt, -e _____

faulenzen _____

die Freizeit _____

sich kümmern um _____

die Pflege _____

der Ruheständler, - _____

Modul 2 Spiele ohne Grenzen

angeboren sein _____

das Backgammon _____

das Brettspiel, -e _____

dran sein _____

sich entwickeln _____

die Epoche, -n _____

die Fähigkeit, -en _____

die Geselligkeit _____

das Gesellschaftsspiel, -e _____

mischen _____

die Motorik _____

das Onlinespiel, -e _____

das Puzzle, -s _____

das Schach _____

jdn. schulen _____

der Skat _____

das Sozialverhalten _____

der Spieltrieb, -e _____

der Stapel, - _____

die Tradition, -en _____

jdn. verantwortlich
    machen für _____

verfügen über _____

verurteilen _____

die Wahrnehmung, -en _____

der Wettbewerbs-
    charakter _____

sich widmen _____

der Wohlstand _____

Modul 3 Abenteuer im Paradies

anstrengend _____

aufbrechen (bricht auf,
    brach auf,
    ist aufgebrochen) _____

erschrecken vor
    (erschrickt, erschrak,
    ist erschrocken)

das Geräusch, -e _____

gerettet sein _____

lächerlich _____

die Panik _____

das Paradies, -e _____

sich runterbeugen _____

schlagen (schlägt, schlug,
    hat geschlagen)

stechen (sticht, stach,
    hat gestochen)

verschwinden
    (verschwindet,
    verschwand,
    ist verschwunden)

verzweifeln _____

Modul 4 Unterwegs in Zürich

bekannt sein für	_____	plaudern	_____
die Bühne, -n	_____	das Publikum	_____
der Club, -s	_____	der/die Regisseur/in, -e/-nen	_____
drohen	_____	die Romanze, -n	_____
die Dokumentation, -en	_____	etwas schätzen	_____
das Drama, -en	_____	der/die Schauspieler/in,	_____
geistreich	_____	-/-nen	
der Horrorfilm, -e	_____	der Science-Fiction, -	_____
das Kabarett, -s	_____	die Spannung, -en	_____
die Komödie, -n	_____	stören	_____
Lust haben auf (hat, hatte,	_____	überzeugen	_____
hat gehabt)		der Western, -	_____
das Mittelalter	_____	der Zeichentrickfilm, -e	_____
mühsam	_____	das Zeitgeschehen	_____
der Nachtwächter, -	_____		

Wichtige Wortverbindungen:

ein Feld vorrücken/zurückgehen   _____

den Gedanken nachgehen   _____

Karten ziehen/ablegen   _____

in der Kritik sein   _____

etw. laufend neu machen/entwickeln   _____

eine Runde aussetzen   _____

Zeit verbringen mit   _____

sich die Zeit vertreiben   _____

Wörter, die für mich wichtig sind:

_____   _____   _____   _____

_____   _____   _____   _____

_____   _____   _____   _____

_____   _____   _____   _____

Alles will gelernt sein

 1 Bilden Sie zusammengesetzte Wörter zum Thema „Schule". Wie viele Wörter finden Sie? Schreiben Sie die Wörter mit Artikel.

Unterricht Stunde Vertretung Klasse Sport Mathematik Abitur Schule	Hof Arbeit Zimmer Unterricht Plan Direktor/in Prüfung Raum Buch Fach Stoff Halle Lehrer/in

das Unterrichtsfach, der Klassenraum, der Sportlehrer, _____

_____

_____

_____

 2 Wo kann man lernen? Lösen Sie das Rätsel.

(*ä, ö, ü* = ein Buchstabe)

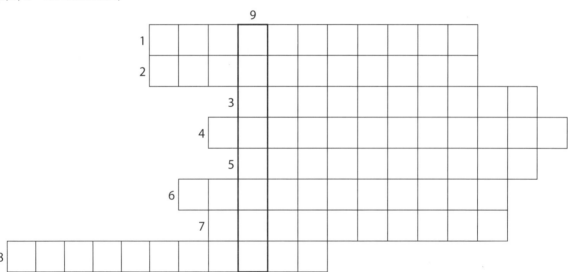

waagrecht:
1. Hier kann man ein Instrument lernen.
2. Neben dem Beruf kann man abends weiterlernen.
3. Hier lernt man Tänze wie Rumba, Walzer oder Tango.
4. Wer eine Ausbildung macht, lernt in der Firma und in der …
5. Wenn Sie reiten lernen wollen, sind Sie hier richtig.
6. Ihr Hund soll etwas lernen? Dann geht er mit Ihnen in die …
7. Hier lernen Sie, wie man Auto oder Motorrad fährt.
8. Die Studenten lernen in einer …

senkrecht:
9. Eine Schule, wo die Schüler auch wohnen und ihre Freizeit verbringen.

3 Welche Wörter passen? Markieren Sie.

1. Morgen üben/verstehen wir Wortschatz. Bitte wiederholen/lernen Sie die Wörter auswendig.

2. Für den Test muss ich die Vokabeln noch einmal behalten/lernen. Ich kenne sie eigentlich, aber ich kann sie mir nicht merken/erinnern.

3. Im Internet habe ich mein Deutsch getestet/gemerkt. Das Ergebnis war ganz okay.

4. ○ Kannst du dich an Herrn Motz erinnern/vergessen?
   ● Natürlich, der hatte immer so lustige Übungen, um uns die Aussprache einzuprägen/beizubringen.

5. Wenn Sie die Vokabeln bis in die Nacht verstehen/pauken, dann ist das nicht besonders effektiv!

6. Merken/Studieren Sie sich die Lerntipps aus dem Buch!

7. Sie behalten/testen die Wörter am besten, wenn Sie sie regelmäßig verstehen/wiederholen.

8. Können Sie die Grammatik noch einmal testen/erklären? Ich habe sie noch nicht ganz verstanden/erinnert.

pauken   etwas behalten   **üben**

lernen   sich etwas merken

sich erinnern

 4a Im Sprachkurs. Ergänzen Sie die Verben. Für manche Ausdrücke gibt es mehrere Lösungen.

| wiederholen | antworten | schreiben | bekommen |
| machen | üben | halten | bestehen | aufschreiben | vorbereiten |

1. die neuen Wörter *aufschreiben,* _____

2. die Hausaufgaben _____

3. einen Kurzvortrag _____

4. auf die Fragen des Lehrers _____

5. einen Dialog _____

6. eine Prüfung _____

7. einen Kurs _____

8. ein gutes Zeugnis _____

9. einen Test _____

10. im Diktat viele Fehler _____

b Schreiben Sie mit fünf Ausdrücken aus 4a je einen Satz.

Lebenslanges Lernen

1a Lesen Sie die Aufgabe. Markieren Sie, an wen Sie schreiben sollen und warum.

> Sie wollen einen Deutschkurs besuchen und haben sich von der Fachbereichsleiterin für Deutsch als Fremdsprache, Frau Linda König, beraten lassen. Sie hat Ihnen heute einen Termin zum Einstufungstest geschickt. Zu dem Termin können Sie aber nicht kommen.
>
> Schreiben Sie an Frau König. Entschuldigen Sie sich höflich und berichten Sie, warum Sie nicht kommen können.
>
> • Schreiben Sie eine E-Mail (circa 40 Wörter).
> • Vergessen Sie nicht die Anrede und den Gruß am Schluss.

b Welche Anrede und welcher Gruß am Ende passen?

☐ Liebe Linda, ☐ Tschüss
☐ Liebe Linda König, ☐ Mit freundlichen Grüßen
☐ Sehr geehrte Frau Linda König, ☐ Mit lieben Grüßen
☐ Sehr geehrte Frau König, ☐ Liebe Grüße

c Lesen Sie die Sätze. Markieren Sie die Redemittel, die besonders höflich sind.

1. ☐ Ich teile Ihnen mit, dass …
2. ☒ Bedauerlicherweise muss ich Ihnen mitteilen, dass …

3. ☐ Leider kann ich nicht zu dem Termin kommen.
4. ☐ Ich komme nicht zu dem Termin.

5. ☐ Informieren Sie mich über einen neuen Termin.
6. ☐ Vielleicht könnten Sie mir einen neuen Termin geben.

7. ☐ Ich würde mich sehr freuen, wenn Sie mir möglichst bald Bescheid geben könnten.
8. ☐ Ich warte auf eine schnelle Antwort.

9. ☐ Vielen Dank im Voraus.
10. ☐ Danke und bis bald.

d Schreiben Sie die E-Mail.

2 Infinitiv mit oder ohne *zu*? Ergänzen Sie den Dialog.

○ Hast du Lust, nachher einen Kaffee mit mir (1) __zu__ trinken?

● Das geht leider nicht. Nach dem Unterricht gehe ich noch (2) _____ schwimmen. Und dann muss ich Hausaufgaben (3) __×__ machen.

○ Schade. Hast du vielleicht morgen Zeit, mit mir die Grammatik (4) __zu__ wiederholen?

● Ja super, dann können wir uns auf den Test am Freitag (5) vor__×__bereiten. Es macht einfach mehr Spaß, zusammen (6) __zu__ lernen. Ich werde Janis Bescheid (7) __zu__ sagen, dass er auch (8) _____ kommen soll.

○ Gute Idee. Ich hatte auch schon vor, ihn (9) an__zu__rufen. Wann sollen wir uns (10) __×__ treffen?

3 Wie kann man sich am besten auf eine Prüfung vorbereiten? Geben Sie Tipps.

> ~~Es ist wichtig, …~~ Versuchen Sie, …   Man sollte am besten …   Nehmen Sie sich Zeit, …
>
> Es ist notwendig, …   Es ist empfehlenswert, … Ich rate allen Kandidaten, …
>
> Vergessen Sie nicht, …   Man muss …
>
>   …

> ~~rechtzeitig mit dem Lernen anfangen~~   einen Zeitplan erstellen   Pausen beim Lernen einbauen
>
> den Lernstoff in sinnvolle Abschnitte einteilen   Karteikarten mit den wichtigsten Informationen anlegen
>
> einen ruhigen und ungestörten Arbeitsplatz haben   sich gründlich über die Prüfung informieren
>
> den Lernstoff in regelmäßigen Abständen wiederholen   mit anderen zusammen lernen
>
>   …

Es ist wichtig, rechtzeitig mit dem Lernen anzufangen.

 4 Welche zwei Verben passen? Kreuzen Sie an.

1. Ich ☐ beginne ☐ beabsichtige ☐ beende, eine weitere Fremdsprache zu lernen.
2. Es ☐ ärgert ☐ freut ☐ stört mich, unpünktlich zu sein.
3. Ich ☐ höre auf ☐ rate dir ab ☐ biete an, so intensiv zu trainieren.
4. Ich ☐ verbiete ☐ empfehle ☐ rate euch, im Kurs mehr zu sprechen.

5 Ergänzen Sie die Sätze frei.

1. Leider habe ich keine Zeit, …
2. Es freut mich sehr, …
3. Es ist wirklich schön, …

4. Ich habe beschlossen, …
5. Es macht mir Spaß, …
6. Ich habe (keine) Lust, …

6 Lebenslanges Lernen. Was möchten Sie unbedingt noch lernen? Wie stellen Sie sich Ihr lebenslanges Lernen vor? Schreiben Sie einen kurzen Text.

Surfst du noch oder lernst du schon?

1 Wie heißen die Teile des Computers?

die Maus
die Lautsprecher
der Rechner / der Computer
der Monitor
der Stick
das Headset
die Kamera / die Web-Cam
der Kopfhörer
das Kabel
die Tastatur
das Mikrofon
die (externe) Festplatte

1. _____   5. _____   7. _____
2. _____   5a _____   8. _____
3. _____   5b _____   9. _____
4. _____   6. _____   10. _____

2 Sortieren Sie die Verben in die Tabelle.

> kopieren   löschen   chatten   neue Leute kennenlernen   ~~to save~~ speichern
> programmieren   beantworten ~~answer~~   kaufen   bekommen   ~~to use~~ bedienen   schreiben
> posten   einschalten ~~turn on~~   anklicken   surfen   senden   weiterleiten ~~hand off~~   lesen
> downloaden   sich einloggen   runterfahren ~~to turn off~~   bloggen   Informationen suchen

den Computer …	im Internet …	eine Nachricht …
✓programmieren	chatten,	✓Kopieren weiterleiten
✓Kaufen	✓neue Leute Kennenlernen	löschen
✓einschalten	✓posten	sperchern
Sich einloggen	anklicken Kaufen	beantworten
✓runterfahren	✓surfen sich einloggen	bekommen
✓bedienen	✓lesen	Schreiben
	downloaden	✓senden
	✓bloggen	lesen
	✓Informationen suchen	posten

einschalten ≠ ausschalten

148

3a Argumente einleiten. Ergänzen Sie die Lücken.

> Ein weiterer Aspekt ist …   ~~Für mich ist es wichtig …~~   … zwar nicht ersetzen, aber …
>
> Meiner Meinung nach …   Es ist doch bekannt …   … spricht auch …

> **Lernen mit dem Smartphone? Ich bin dafür!**
>
> Ich möchte eine neue Sprache lernen. Aber ich habe einfach keine Zeit, regelmäßig einen Kurs zu besuchen.
> Da finde ich die Nutzung von Medien sinnvoll.
>
> (1) _Für mich ist es wichtig_, dass ich meine Zeit flexibel nutzen kann. (2) _____,
> dass die meisten Menschen heute wenig Zeit zum Lernen und Üben haben. Auf dem Smartphone kann man
> Dateien mit Vokabeln schnell speichern oder die Aussprache anhören und nachsprechen.
>
> (3) _____ ist das Gerät deshalb eine sehr gute Ergänzung zum Unterricht.
>
> (4) _____, dass ich mein Lernen selbst organisieren kann. Wann mache ich
> was und wo? Für das Lernen mit dem Smartphone (5) _____, dass ich damit schnell
> ins Internet gehen kann. Da finde ich viele Übungen und Hilfen. Das Smartphone wird den Unterricht
> (6) _____ für das Üben und Wiederholen ist es eine gute
> Alternative. Besonders, wenn man ab und zu im Kurs fehlt.

b Redemittel zur Argumentation. Formulieren Sie das Gegenteil wie im Beispiel.

1. Einer der wichtigsten Gründe für den Computer ist …

    _Einer der wichtigsten Gründe gegen den Computer ist …_____

2. Viele Lehrer halten es für richtig, dass …

    _____

3. Ein weiteres Argument dagegen ist, dass …

    _____

4. Befürworter einer solchen Lösung meinen, dass …

    _____

5. Viele Eltern lehnen es ab, dass …

    _____

4a Pro oder contra? Schreiben Sie zu vier Themen eine Pro- oder Contra-Aussage.

Ich bin für autofreie Innenstädte.   *Es ist wichtig, viel Sport zu treiben.*
Noten halte ich für falsch.   *…*

b Arbeiten Sie zu zweit. A liest den ersten Satz vor. B sagt das Gegenteil. Dann liest B vor.

> *Ich bin für autofreie Innenstädte.*

> *Ich bin gegen autofreie Innenstädte.*

1 Sehen Sie das Bild an und schreiben Sie eine Geschichte. Verwenden Sie die Satzanfänge.

Der Montag hatte so gut angefangen, bis …
Es war einfach unglaublich, aber …
Dann allerdings …
Zum Glück …
Am Ende …

2a Lesen Sie den Artikel und unterstreichen Sie alle Tipps.

Keine Panik – Das hilft bei Prüfungsangst

Fast alle kennen es: weiche Knie, klopfendes Herz, Schweißausbrüche. Typische Symptome bei Prüfungsangst. Nervosität ist gut und normal. Angst muss aber niemand haben. Hier einige Tipps für weniger
5 Stress bei Tests:

Denken Sie daran, dass Sie viel gelernt haben. Die Mühe soll sich lohnen! Zeigen Sie, was Sie können und wissen. Wenn Sie die Fähigkeit haben, eine positive Einstellung zu Ihrer Prüfung zu entwickeln, dann
10 ist viel gewonnen. Vermeiden Sie negative Gedanken: statt „Ich bin gezwungen, die Prüfung abzulegen." lieber denken „Ich bin in der Lage, die Prüfung zu schaffen.". Schreiben Sie angenehme Aussagen auf und lesen Sie sie immer wieder durch. Nutzen Sie die
15 Prüfung auch als Anlass, sich danach zu belohnen: ein Treffen mit Freunden, ein fauler Tag. Hier sind alle Ideen erlaubt, die Ihrer Psyche gut tun und die realistisch sind. Verboten sind dagegen Szenarien der Angst: „Was passiert, wenn ich durchfalle?", „Was sa-
20 gen die anderen?", „Wie viel Zeit verliere ich?". Diese Fragen stärken Sie nicht. Mit etwas Fantasie können

Sie das positive Denken unterstützen. Gedanken wie „Es ist erlaubt, die Prüfung zu wiederholen." oder „Ich habe gar nicht vor, durchzufallen." helfen Ihnen,
25 die Angst zu reduzieren.

Auch wenn Sie eine positive Einstellung haben, kann Sie in der Prüfung ein Blackout überraschen und Ihnen fällt nichts mehr ein. In mündlichen Prüfungen sollten Sie Ihre Prüfer dann über Ihren Zustand
30 informieren. Bitten Sie um Wiederholung der Fragen und nehmen Sie sich Zeit für die Antwort. Die Prüfer haben ja nicht die Absicht, Sie durchfallen zu lassen. Sie interessieren sich viel mehr dafür, was Sie wissen, und werden Sie bei einem Blackout unterstützen.
35 Wenn in schriftlichen Prüfungen das Herz rast, dann hilft eine gute Atmung. Atmen Sie mehrere Minuten ruhig und tief. So können Sie von ganz alleine wieder ruhiger werden. Lesen Sie alle Aufgaben und erstellen Sie Notizen. Dann beginnen Sie mit der Auf-
40 gabe, bei der Sie sich sicher fühlen.

Fazit: Sie haben die Möglichkeit, etwas zu tun. Aber es ist wichtig, dass Sie es selbst tun.

b Notieren Sie zwei Aussagen oder Tipps, die Sie wichtig finden, und vergleichen Sie mit Ihrem Partner / Ihrer Partnerin.

c Wie kann man es anders sagen? Lesen Sie den Text in 2a nochmals und ergänzen Sie die Modalverben in den folgenden Sätzen.

1. Wenn Sie eine positive Einstellung entwickeln _____, ist viel gewonnen.

2. Ich _____ die Prüfung ablegen.

3. Ich _____ die Prüfung schaffen.

4. Alle Ideen, die der Psyche gut tun, _____ man nutzen.

5. Szenarien der Angst _____ man nicht zulassen.

6. Ich _____ die Prüfung wiederholen.

7. Ich _____ gar nicht durchfallen.

8. Die Prüfer _____ Sie nicht durchfallen lassen.

9. Sie _____ etwas tun.

d Lesen Sie Tonjas Blog-Eintrag. Schreiben Sie eine Antwort und geben Sie mindestens zwei Tipps.

> TONJA   25.09. | 16:30 Uhr
> In zwei Wochen schreibe ich meine Fachklausuren an der Uni. Ich pauke Tag und Nacht.
> Aber ich habe schon voll die Panik! In Prüfungen fällt mir nichts mehr ein und ich sitze
> nur mit rotem Kopf da. Total peinlich! Wer hat gute Tipps für mich?
>
> 25.09. | 19:00 Uhr
> Hi Tonja!
> Du bist ja sehr motiviert. …

3 Ergänzen Sie das Modalverb. Manchmal gibt es mehrere Möglichkeiten. Achten Sie auf die
Zeitformen.

1. ○ Stimmt es, dass Leon krank war und im Bett bleiben _*musste*_____?

   ◉ Ja. Schade, dass er am Samstag nicht zur Kursparty kommen _____.

2. ○ Wir gehen jetzt noch ins Kino. Hast du Lust? _____ du auch mitkommen?

   ◉ Geht leider nicht. Ich _____ noch ein Referat vorbereiten.

   ○ Damit _____ du doch schon letzte Woche fertig sein.

   ◉ Stimmt, aber ich _____ nicht früher anfangen _____. Mist!

3. ○ Ich habe noch gar nicht gelernt. Ich _____ letzte Woche so viel arbeiten.

   ◉ Wieso? Der Test ist doch erst am Montag. Da _____ wir noch jede Menge lernen.

4. ○ _____ man eigentlich während der Prüfung ein Grammatikbuch benutzen?

   ◉ Nee, wir _____ aber im Wörterbuch unbekannte Wörter nachschauen, glaube ich.

5. ○ Was hast du eigentlich vor, wenn dieser Kurs beendet ist?

   ◉ Ich _____ einen Sprachkurs in Berlin machen.

6. ○ Ich _____ dir von Sven ausrichten, dass er heute nicht zum Kurs kommen _____.

   ◉ Na toll! Und ich _____ ihm sicher wieder die Arbeitsblätter mitnehmen.

4a Sagen Sie es einfacher mithilfe der Modalverben.

1. Ich war nicht imstande, mich bei diesem Lärm zu konzentrieren.
2. Es ist nicht erlaubt, während des Unterrichts zu essen.
3. Marie beabsichtigt, in einem halben Jahr die B2-Prüfung zu machen.
4. Wenn ich hier bleiben will, bin ich gezwungen, ein neues Visum zu beantragen.

1. Ich konnte mich bei diesem Lärm nicht konzentrieren.

b Sagen Sie es anders. Ordnen Sie zu und schreiben Sie Sätze wie im Beispiel.

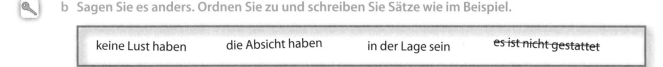

| keine Lust haben | die Absicht haben | in der Lage sein | ~~es ist nicht gestattet~~ |

1. Man darf während der Prüfung nicht mit seinem Nachbarn sprechen.
2. Kannst du wirklich die Hausaufgabe von deinem Nachbarn abschreiben? Ich bin nicht so cool.
3. Ich möchte diesen Film jetzt nicht sehen.
4. Ich will mir einen deutschen Tandempartner suchen, mit dem ich viel Deutsch sprechen kann.

1. Es ist nicht gestattet, während der Prüfung mit seinem Nachbarn zu sprechen.

5 Lesen Sie die Aufgaben 1 bis 4 und den Text dazu. Wählen Sie bei jeder Aufgabe die richtige Lösung a, b oder c.

Sie informieren sich über die Prüfungsordnung des Sprachenzentrums SDW, wo Sie eine Prüfung ablegen möchten.

1. Die Prüfungsergebnisse ...
- a kann man telefonisch erfahren.
- b können über die Zentrale erfragt werden.
- c werden schriftlich mitgeteilt.

2. Bei der Prüfung ...
- a kann man ein Wörterbuch benutzen.
- b darf man kein Handy dabeihaben.
- c kann man der Aufsicht Fragen stellen.

3. Die Anmeldung zur Prüfung ...
- a muss bis zu einem bestimmten Termin erfolgen.
- b ist nur über das Internet möglich.
- c geht ausschließlich über das Sekretariat.

4. Man bekommt die Prüfungsgebühr zurück, wenn man ...
- a nicht zur Prüfung kommt.
- b eine Bescheinigung vom Arzt hat.
- c sich im Sekretariat abgemeldet hat.

Prüfungsordnung

Anmeldung

Die Anmeldung für alle angebotenen Prüfungen erfolgt online über unsere Webseite. Es besteht außerdem die Möglichkeit, sich über das Sekretariat anzumelden. Zu beachten ist, dass die Anmeldefrist spätestens vier Wochen vor dem jeweiligen Prüfungstermin endet.

Termine

Die aktuellen Termine sind auf unserer Webseite oder im Sekretariat einsehbar. In der Regel werden die Termine für das laufende Jahr angezeigt. Die Anmeldung ist verpflichtend. Bei Nichterscheinen kann die Prüfungsgebühr nicht zurückgezahlt werden. Dies gilt auch, wenn das Sekretariat vorher informiert wurde. Ausnahmen werden nur im Krankheitsfall gemacht. In diesem Fall muss bis spätestens zwei Tage nach dem Prüfungstermin ein ärztliches Attest vorliegen, damit die Prüfungsgebühr zurücküberwiesen bzw. gutgeschrieben werden kann.

Ausweispflicht

Um die Identität der Prüfungsteilnehmenden zweifelsfrei feststellen zu können, muss sich jeder Prüfungsteilnehmer durch ein offizielles Dokument mit Foto (Personalausweis, Pass, Führerschein) ausweisen können.

Hilfsmittel

Während der Prüfung ist es nicht gestattet, auf Hilfsmittel jeder Art zurückzugreifen. Das Mitbringen von Wörterbüchern, Grammatikbüchern oder eigenem Konzeptpapier ist nicht erlaubt. Mobiltelefone müssen in den Schließfächern am Eingang gelassen werden. Fragen zu den Prüfungsinhalten werden nicht beantwortet. Bei Nichtbeachten wird der Teilnehmer von der Prüfung ausgeschlossen.

Prüfungsergebnisse

Die Mitteilung der Prüfungsergebnisse erfolgt in der Regel sechs Wochen nach Ablegen der Prüfung. Alle Prüfungsteilnehmer erhalten ihre Ergebnisse per Post. Telefonische Auskünfte zu den Prüfungsergebnissen sind nicht möglich. Eine individuelle Ergebnismitteilung über unsere Zentrale ist ebenfalls ausgeschlossen. Es wird darum gebeten, auf entsprechende Anfragen zu verzichten.

1 Bilden Sie zusammengesetzte Nomen wie im Beispiel.

| Training | Vermögen | Zahlen | Schwäche | Konkurrenz |

Profit **– G E D Ä C H T N I S –   – D E N K E N –** Leistung

Personen   Vorgang   Prestige   Störung   Aufgabe

das Denken + das Vermögen = das Denkvermögen

2 Rund ums Gedächtnis. Was bedeuten die Ausdrücke? Ordnen Sie zu.

1. _b_ etw. fällt jmd. ein
2. ____ etw. vergessen
3. ____ etw. im Kopf haben
4. ____ verschwinden
5. ____ in den Hintergrund treten
6. ____ Leistung steigern
7. ____ Informationen verknüpfen
8. ____ nur in eine Richtung denken

a nicht mehr da sein
b eine Idee haben, sich spontan an etwas erinnern
c mit seinen Ideen/Gedanken nicht flexibel sein
d sich an etw. nicht erinnern
e Wissen miteinander verbinden
f etw. wissen / schlau sein
g immer besser werden
h etw. ist nicht mehr so wichtig

3a (18) Hören Sie den Beginn einer Radiosendung. Machen Sie zu folgenden Punkten Notizen.

1. Thema der Sendung: _____

2. Fragestellung: _____

3. Ort, an dem die Interviews gemacht wurden: _____

4. Sprachniveau der Lernenden: _____

b (19-21) Hören Sie den zweiten Teil. Wer sagt das? Markieren Sie. Beachten Sie, dass die Aussagen nicht der Reihenfolge im Interview entsprechen.

	Dario (Kroatien)	Laura (Italien)	Marta (Spanien)
1. Die Verben bekommen durch Präfixe eine andere Bedeutung.			
2. Die deutsche Aussprache machte mir am Anfang Probleme.			
3. Das Sprechen wird durch die Stellung der Verbteile erschwert.			
4. Für visuelle Lerntypen eignen sich Farben.			
5. Man muss sich beim Sprechen sehr konzentrieren.			
6. Regelmäßiges Üben ist wichtig.			
7. Viele Wörter haben in der Fremdsprache einen anderen Artikel.			
8. Viele Wörter sind wie im Englischen.			

4 Lesen Sie die folgende Situation und schreiben Sie die E-Mail.

In Ihrer Sprachschule wurde letzte Woche das große Sommerfest gefeiert.

Ein Freund / Eine Freundin, der/die mit Ihnen dort einen Sprachkurs besucht hat, konnte nicht zu dem Fest kommen.

Schreiben Sie Ihrem Freund / Ihrer Freundin eine Antwort. Gehen Sie auf folgende Punkte ein:
- Beschreiben Sie: Wie war das Fest?
- Begründen Sie: Welcher Programm-punkt hat Ihnen am besten gefallen und warum?
- Machen Sie einen Vorschlag für ein Treffen.

Schreiben Sie eine E-Mail (circa 80 Wörter).
Schreiben Sie etwas zu allen drei Punkten.
Achten Sie auf den Textaufbau (Anrede, Einleitung, Reihenfolge der Inhaltspunkte, Schluss).

Aussprache: lange und kurze Vokale

22

a Lesen Sie die Wortpaare leise. Hören Sie dann zu und markieren Sie: kurz (ạ) oder lang (a̲).

1. Mi̲ete – Mịtte
4. Ofen – offen
7. Höhle – Hölle

2. Bett – Beet
5. Stadt – Staat

3. fühlen – füllen
6. Teller – Täler

23

b Hören Sie und sprechen Sie nach. Zuerst das Wort, dann den Vokal und dann noch einmal das Wort.

c Wann sind die Vokale lang? Kreuzen Sie die passenden Regeln an.

Ein Vokal wird lang gesprochen, wenn …

1. ☐ ein *h* folgt, z. B. *kühl, (er) geht*
4. ☐ der Vokal doppelt ist, z. B. *Paar, Leere*

2. ☐ ein *ng* oder *ck* folgt, z. B. *jung, Rock*
5. ☐ bei *ie* oder *ieh*, z. B. *liegen, (sie) sieht*

3. ☐ ein doppelter Konsonant folgt, z. B. *Knall*

24

d Hören Sie die Wörter und schreiben Sie eine Liste. Welche Vokale sind lang, welche kurz?

Lange Vokale	Kurze Vokale
Haare	*Wange*

So schätze ich mich nach Kapitel 5 ein: Ich kann …	+	○	−
… in einem Interview mit verschiedenen Personen die Argumente für ihren Besuch von Kursen verstehen. ▶M1, A2a	☐	☐	☐
… ein Lied zum Thema „Prüfungen" verstehen. ▶M3, A1b	☐	☐	☐
… Informationen in einem Radiobeitrag zum Thema „Gedächtnistraining" verstehen. ▶M4, A2	☐	☐	☐
… in Interviews Aussagen zu Schwierigkeiten beim Deutschlernen verstehen. ▶AB M4, Ü3	☐	☐	☐
… Stellungnahmen von Medienexperten verstehen. ▶M2, A2b	☐	☐	☐
… Texte zu Denkaufgaben und Lerntechniken verstehen. ▶M4, A1a, A4	☐	☐	☐
… die Informationen in einer Prüfungsordnung eines Sprachenzentrums verstehen. ▶AB M3, Ü5	☐	☐	☐
… anhand von Kurstiteln Vermutungen zu den Kursinhalten äußern. ▶M1, A1a	☐	☐	☐
… über Wünsche und Ziele bei Lernangeboten sprechen. ▶M1, A4	☐	☐	☐
… Ratschläge zum Thema „Prüfungsangst" geben. ▶M3, A1d	☐	☐	☐
… Vorschläge zur Lösung von Aufgaben und bei Lernproblemen machen. ▶M4, A5b	☐	☐	☐
… Hauptaussagen aus einem Interview notieren. ▶M1, A2a, M4, A2b	☐	☐	☐
… eine Stellungnahme schreiben. ▶M2, A4	☐	☐	☐
… einen Beitrag zu einem Kursratgeber mit dem Thema „Deutsch lernen" schreiben. ▶M4, A6	☐	☐	☐
… eine E-Mail zur Terminklärung an eine Sprachenschule schreiben. ▶AB M1, Ü1	☐	☐	☐
… eine E-Mail an einen Freund, der nicht am Sommerfest der Sprachschule teilnehmen konnte, schreiben. ▶AB M4, Ü4	☐	☐	☐

Das habe ich zusätzlich zum Buch auf Deutsch gemacht (Projekte, Internet, Filme, Texte, …):

Datum: Aktivität:

_____   _____

_____   _____

_____   _____

Grammatik und Wortschatz weiterüben: interaktive Übungen unter www.aspekte.biz/online-uebungen1

Wortschatz

Modul 1 Lebenslanges Lernen

die Absicht, -en _____ sich selbstständig machen _____

sich anmelden _____ das Seminar, -e _____

der Babysitter, - _____ die Steuer, -n _____

das Benehmen _____ das Unternehmen, - _____

die Buchführung _____ die Umgangsformen (Pl.) _____

der/die Existenzgründer/in, _____ die Versicherung, -en _____

    -/-nen vorhaben (hat vor, hatte

der/die Heimwerker/in, _____   vor, hat vorgehabt)

    -/-nen die Vorsorge _____

die Renovierung, -en _____ das Werkzeug, -e _____

die Reparatur, -en _____ der Virenschutz _____

Modul 2 Surfst du noch oder lernst du schon?

die Ausrede, -n _____ das Lernmaterial, -ien _____

sich austauschen _____ die Motivation _____

benötigen _____ das Netzwerk, -e _____

digital _____ präsentieren _____

die Generation, -en _____ das Smartphone, -s _____

googeln _____ das Tablet, -s _____

die Handschrift, -en _____ die Verantwortung _____

die Kompetenz, -en _____ verlernen _____

sich etw. leisten _____ voraussetzen _____

Modul 3 Können kann man lernen

abwarten _____ imstande sein _____

der Auftrag, -"e _____ notwendig _____

beabsichtigen _____ planen _____

bestehen (besteht, _____ teilnehmen (nimmt teil,

    bestand, hat bestanden)   nahm teil, hat teil-

einfallen (fällt ein, fiel ein, _____   genommen)

    ist eingefallen) verbieten (verbietet, _____

erlauben _____   verbot, hat verboten)

fähig _____ verpflichtet sein _____

die Gelegenheit, -en _____ versuchen _____

gestattet sein _____

Modul 4   Lernen und Behalten

auswendig lernen	_____
behalten (behält, behielt,	_____
hat behalten)	
das Boot, -e	_____
dauerhaft	_____
das Fach, -"er	_____
fressen (frisst, fraß,	_____
hat gefressen)	
das Gedächtnis, -se	_____
kombinieren	_____

die Lernmethode, -n	_____
der Lernstoff	_____
die Reihenfolge, -n	_____
stecken	_____
überqueren	_____
die Vergesslichkeit	_____
verknüpfen mit	_____
vernetzt	_____
zusätzlich	_____
das Zertifikat, -e	_____

Wichtige Wortverbindungen:

ab und an	_____
sich ablenken lassen von	_____
die Absicht haben zu	_____
im Alltag	_____
der berufliche Aufstieg	_____
der Blick ins Internet	_____
auf Dauer	_____
im Gedächtnis bleiben	_____
auf etw. kommen	_____
in der Lage sein	_____
seine Meinung ändern	_____
süchtig sein nach	_____
etw. als Unsinn betrachten	_____

Wörter, die für mich wichtig sind:

_____   _____   _____   _____

_____   _____   _____   _____

_____   _____   _____   _____

_____   _____   _____   _____

Redemittel

Meinungen ausdrücken

Ich bin der Meinung/Ansicht, dass …
Ich denke/meine/glaube/finde, dass …
Meiner Meinung nach …

Ich stehe auf dem Standpunkt, dass …
Ich bin davon überzeugt, dass …

eine Begründung ausdrücken
K1M4/K5M1

… hat folgenden Grund: …
… halte ich für positiv/interessant/…, da …

Ich … nicht so gerne, weil …
Am wichtigsten ist für mich …, denn …

Zustimmung ausdrücken
K1M4/K3M2/K5M4

Der Meinung/Ansicht bin ich auch.
Das stimmt. / Das ist richtig. / Ja, genau.
Das ist eine gute Idee.
Es ist mit Sicherheit so, dass …
Ja, das sehe ich auch so …
Ich finde, … hat damit recht, dass …

Ich bin ganz deiner/Ihrer Meinung.
Da hast du / haben Sie völlig recht.
Ja, das kann ich mir (gut) vorstellen.
… stimme ich zu, denn/da …
Ich finde es auch (nicht) richtig, dass …

Widerspruch ausdrücken
K1M4/K2M4/K3M2

Das stimmt meiner Meinung nach nicht.
Ich sehe das anders.
Ich finde aber, dass …

Das ist nicht richtig.
Da muss ich dir/Ihnen aber widersprechen.
… finde ich gut, aber …

(starke) Zweifel ausdrücken
K1M4/K2M4

Also, ich weiß nicht …
Ob das wirklich so ist?
Ich glaube/denke kaum, dass …
Ich sehe das völlig anders, da …
Versteh mich nicht falsch, aber …

Ich habe da so meine Zweifel, denn …
Stimmt das wirklich?
Ich bezweifle, dass …
Sag mal, wäre es nicht besser …?
Ja, aber ich bin mir noch nicht sicher …

Ablehnung ausdrücken
K5M4

Das finde ich nicht so gut.
Es ist ganz sicher nicht so, dass …
Das kann ich mir überhaupt nicht vorstellen, weil …

Es kann nicht sein, dass …
… halte ich für übertrieben.
Ich denke, diese Einstellung ist falsch, denn …

Wichtigkeit ausdrücken
K1M2/K1M4

Bei einer Bewerbung ist … am wichtigsten.
Für mich ist es wichtig, dass …

Der Bewerber muss erst einmal …
Am wichtigsten ist für mich, dass …

Wünsche und Ziele ausdrücken
K2M3/K5M1

Ich hätte Lust, …
Ich hätte Spaß daran, …
Ich habe vor, …
Ich würde gern …
Ich finde … super.

Ich hätte Zeit, …
Ich wünsche mir, …
Für mich wäre es gut, …
Für mich ist es wichtig, …
Ich möchte …

eine Wunschvorstellung ausdrücken K1M1

Er/Sie hat schon als Kind davon geträumt, …
Sein/Ihr großer Traum ist …

Er/Sie wollte schon immer / unbedingt …

gute Wünsche aussprechen / gratulieren K1M4

Herzlichen Glückwunsch!
Ich wünsche … viel Glück!
Ich schicke euch die herzlichsten Glückwünsche!

Alles Gute!
Ich sende euch die allerbesten Wünsche!
Ich möchte euch zu … gratulieren.

Freude ausdrücken K1M4

Es freut mich, dass …
Ich freue mich sehr/riesig für euch.

Das ist eine tolle Nachricht!
Ich bin sehr froh, dass …

Erstaunen/Überraschung ausdrücken K3M1/K4M1

Mich hat total überrascht, dass …
Erstaunlich finde ich …
Ich finde es komisch, dass …

Besonders interessant finde ich …
Für mich war neu, …

Verständnis ausdrücken K3M4

Ich kann gut verstehen, dass …
Es ist verständlich, dass …

Es ist ganz natürlich, dass …

Vermutungen ausdrücken K5M1

Ich kann/könnte mir gut vorstellen, dass …
Es kann/könnte (gut) sein, dass …
Er/Sie wird … sein.
Im Alltag wird er/sie …
Es ist denkbar/möglich/vorstellbar, dass …

Vielleicht/Wahrscheinlich/Vermutlich ist/macht …
Ich vermute/glaube / nehme an, dass …
Er/Sie sieht aus wie …
Er/Sie wird vermutlich/wahrscheinlich …
Es könnte … sein. / Es könnte sein, dass …

Vorschläge machen K2M4/K4M4/K5M4

Ich würde vorschlagen, dass…
Wir könnten doch …
Dann kannst du ja jetzt …
Ich könnte …

Hast du (nicht) Lust …?
Was hältst du von … / davon, wenn …?
Wenn du möchtest, kann ich …

Gegenvorschläge ausdrücken K4M4/K5M4

Sollten wir nicht lieber …?
Ich fände es besser, wenn wir …

Es wäre bestimmt viel besser, wenn wir …
Lass uns doch lieber …

Redemittel

Unsicherheit/Sorge ausdrücken K2M4

Ich bin mir noch nicht sicher.
Ich befürchte nur, …
Ich kann dir nicht versprechen, …

Überleg dir das gut.
Ich habe wohl keine Wahl.
Es ist nicht einfach, …

Ratschläge/Tipps geben K2M4/K3M4/K5M3/K5M4

Am besten wäre es, …
An deiner Stelle würde ich …
Da sollte man am besten …
Du solltest/könntest …
Ich kann euch nur raten, …
Man kann …
Mir hat … sehr geholfen.
Versuch doch mal, …
… ist wirklich empfehlenswert.
Dabei sollte man beachten, dass …
Es ist besser, wenn …
Es ist höchste Zeit, dass …

Wenn ich du wäre, …
Auf keinen Fall solltest du …
… sollte zuerst …
Ich denke, dass …
Ich würde dir raten, …
Meiner Meinung nach solltest du …
Oft hilft …
Wenn du mich fragst, dann …
Wir schlagen vor, …
Wir haben den folgenden Rat für euch: …
Sinnvoll/Hilfreich/Nützlich wäre, wenn …

Probleme beschreiben K5M4

Für viele ist es problematisch, wenn …
… macht vielen (große) Schwierigkeiten.
Ich habe große Probleme damit, dass …

Es ist immer schwierig, …
… ist ein großes Problem.

über Erfahrungen berichten K3M4/K5M4

Ich habe ähnliche Erfahrungen gemacht, als …
Mir ging es ganz ähnlich, als …
Wir haben oft bemerkt, dass …
Wir haben gute/schlechte Erfahrungen gemacht mit …

Es gibt viele Leute, die …
Bei mir war das damals so: …
Uns ging es mit/bei … so, dass …

etwas vergleichen K3M4

Im Gegensatz zu … mache ich immer …
Während … abends …, mache ich …
Bei uns ist … am wichtigsten.

Bei uns ist das ähnlich. Wir beide …
Bei mir ist das ganz anders: …

eine Grafik beschreiben K2M1

Einleitung
Die Grafik zeigt, …
Die Grafik informiert über …

Hauptpunkte beschreiben
Die meisten/wenigsten …
Auffällig/Interessant ist, dass …
Im Gegensatz/Unterschied zu …
… Prozent finden/sagen/meinen …
Über die Hälfte der …
Am wichtigsten/unwichtigsten …

Argumente einleiten K5M2

Ich bin der Ansicht/Meinung, dass …
Ein großer/wichtiger Vorteil von … ist, dass …
Ein weiterer Aspekt ist …
Es ist (auch) anzunehmen, dass …
Ich finde …
Gerade bei … ist wichtig, dass …

Es ist logisch, dass …
Untersuchungen/Studien zeigen, dass …
… meiner Meinung nach …
Es stimmt zwar, dass …, aber …
Ich sehe ein Problem bei …
Sicher sollten …

Argumente verbinden K5M2

Zunächst einmal denke ich, dass …
Außerdem/Weiterhin ist für mich wichtig, dass …
Schließlich möchte ich noch darauf hinweisen, dass …

Ein weiterer Vorteil ist, dass man … ist/hat.
Ich glaube darüber hinaus, dass man so … besser …

eine E-Mail einleiten/beenden K2M4

einleiten
Danke für deine E-Mail.
Schön, von dir zu hören …
Ich habe mich sehr über deine E-Mail gefreut.

beenden
Ich freue mich auf eine Nachricht von dir.
Mach's gut und bis bald!
Mach dir noch eine schöne Woche und alles Gute.

etwas beschreiben/vorstellen K3M1

Aussehen/Art beschreiben
Das macht man aus/mit …
Es ist/besteht aus …
Es ist ungefähr so groß/breit/lang wie …
Es ist rund/eckig/flach/oval/hohl/gebogen/…
Es ist schwer/leicht/dick/dünn/…
Es ist aus Holz/Metall/Plastik/Leder/…
Es ist … mm/cm/m lang/hoch/breit.
Es ist billig/preiswert/teuer/…
Es schmeckt/riecht nach …

Funktion beschreiben
Ich habe es gekauft, damit …
Besonders praktisch ist es, um …
Es eignet sich sehr gut zum …
Ich finde es sehr nützlich, weil …
Ich brauche/benutze es, um …
Dafür/Dazu verwende ich …
Dafür braucht man …
Das isst man an/zu …

eine besondere Person präsentieren K1M3

Herkunft/Biografisches
Ich möchte gern … vorstellen.
Er/Sie kommt aus … und wurde … geboren.
Er/Sie lebte in …
Von Beruf war er/sie …
Seine/Ihre Eltern waren …
Er/Sie kam aus einer … Familie.

Leistungen
Er/Sie wurde bekannt, weil …
Er/Sie entdeckte/erforschte/untersuchte …
Er/Sie experimentierte/arbeitete mit …
Er/Sie schrieb/formulierte/erklärte …
Er/Sie kämpfte für/gegen …
Er/Sie engagierte sich für … / setzte sich für … ein.
Er/Sie rettete/organisierte/gründete …

Redemittel

über einen Film schreiben K4M4

Der Film heißt …
Der Film „…" ist eine moderne Komödie / ein Spielfilm / …
In dem Film geht es um … / Er handelt von … / Im Mittelpunkt steht …
Der Film spielt in … / Schauplatz des Films ist …
Die Hauptpersonen im Film sind … / Der Hauptdarsteller ist …
Die Regisseurin ist … / Den Regisseur kennt man bereits von den Filmen „…" und „…"
Besonders die Schauspieler sind überzeugend/hervorragend/…
Man sieht deutlich, dass … / … stört nicht, denn …

eine Kulturstätte beschreiben K4M4

Das … gibt es seit …
Es ist bekannt für …
Es liegt/ist in der … Straße …
Die Eintrittskarten kosten zwischen … und …
   Euro/Franken.

… wurde im Jahr … gebaut/eröffnet.
Viele Leute schätzen das … wegen …
Auf dem Programm stehen oft …
Hier treten oft … auf.

ein Spiel beschreiben K4M2

… ist ein lustiges Spiel.
Punkte sammeln
an der Reihe / dran sein
ein Feld vorrücken/zurückgehen
mit dem Würfel eine „Sechs" würfeln

Zuerst bekommt jeder Spieler …
die Karten mischen
die Spielfigur ziehen
eine Karte ziehen/ablegen
eine Runde aussetzen

eine Geschichte schreiben K4M3

Am Anfang …
Nachdem schon …, …
Kurz bevor …

Dann / Danach / Schon bald …
Plötzlich …
Im letzten Moment / Am Ende …

Verb

Vergangenes ausdrücken   Kapitel 1

Funktion

Präteritum	Perfekt	Plusquamperfekt
• von Ereignissen schriftlich berichten, z. B. in Zeitungsartikeln, Romanen • mit Hilfs- und Modalverben berichten	von Ereignissen mündlich oder schriftlich berichten, z. B. in E-Mails, Briefen	von Ereignissen berichten, die vor einem anderen Ereignis in der Vergangenheit passiert sind

Bildung

Präteritum	Perfekt	Plusquamperfekt
• regelmäßige Verben: Verbstamm + Präteritumsignal -t- + Endung (z. B. *träumen – träumte, fragen – fragte*) • unregelmäßige Verben: Präteritumstamm + Endung (z. B. *wachsen – wuchs, kommen – kam*) keine Endung bei 1. und 3. Person Singular	*haben/sein* im Präsens + Partizip II	*haben/sein* im Präteritum + Partizip II

Zusätzlich im Feld Perfekt/Plusquamperfekt:

Bildung Partizip II
- regelmäßige Verben:
  - ohne Präfix: *sagen – **ge**sag**t***
  - trennbares Verb: *aufhören – auf**ge**hör**t***
  - untrennbares Verb: *verdienen – verdien**t***
  - Verben auf *-ieren*:   *faszinieren – faszinier**t***

- unregelmäßige Verben:
  - ohne Präfix: *nehmen – genomm**en***
  - trennbares Verb: *aufgeben – auf**ge**geb**en***
  - untrennbares Verb: *verstehen – verstand**en***

Ausnahmen: *kennen – kannte – habe gekannt*   *bringen – brachte – habe gebracht*
                denken – dachte – habe gedacht   *wissen – wusste – habe gewusst*

Eine Übersicht über wichtige unregelmäßige Verben finden Sie im Anhang.

Trennbare und untrennbare Verben   Kapitel 2

Präfixe	Beispiele
trennbar	**ab**/fahren, **an**/sehen, **auf**/räumen, **aus**/ziehen, **bei**/stehen, **dar**/stellen, **ein**/kaufen, **fest**/stellen, **fort**/setzen, **her**/kommen, **herum**/stehen, **hin**/fallen, **los**/fahren, **mit**/nehmen, **nach**/denken, **rein**/kommen, **vor**/stellen, **vorbei**/kommen, **weg**/laufen, **weiter**/gehen, **zu**/hören
untrennbar	**be**ginnen, **ent**scheiden, **er**zählen, **ge**fallen, **miss**fallen, **ver**stehen, **zer**reißen

In diesen Fällen wird das trennbare Verb nicht getrennt:
- Nebensatz: *Sie sagt, dass sie die Wohnung aufräumt.*
- Verb im Partizip II: *Sie hat die Wohnung auf**ge**räumt.*
                                      *Die Wohnung wird auf**ge**räumt.*
- Verb im Infinitiv (mit oder ohne *zu):*   *Sie hat begonnen, die Wohnung auf**zu**räumen.*
                                      Sie möchte die Wohnung aufräumen.

Grammatik

Bedeutungen

Modalverb	Bedeutung	Alternativen (immer mit *zu* + Infinitiv)
dürfen	Erlaubnis	*es ist erlaubt, es ist gestattet, die Erlaubnis / das Recht haben*
nicht dürfen	Verbot	*es ist verboten, es ist nicht erlaubt, keine Erlaubnis haben*
können	a) Möglichkeit b) Fähigkeit	*die Möglichkeit/Gelegenheit haben, es ist möglich* *die Fähigkeit haben/besitzen, in der Lage sein, imstande sein*
möchten	Wunsch, Lust	*Lust haben, den Wunsch haben*
müssen	Notwendigkeit	*es ist notwendig, es ist erforderlich, gezwungen sein, haben*
sollen	Forderung	*den Auftrag / die Aufgabe haben, aufgefordert sein, verpflichtet sein*
wollen	eigener Wille, Absicht	*die Absicht haben, beabsichtigen, vorhaben, planen*

Tempus

Präsens: *Simon* <u>*kann*</u> *nicht an der Prüfung* <u>*teilnehmen*</u>*. Er ist krank.*
Präteritum: *Simon* <u>*konnte*</u> *nicht an der Prüfung* <u>*teilnehmen*</u>*. Er war krank.*

	wollen	können	müssen	dürfen	sollen
ich	will wollte	kann konnte	muss musste	darf durfte	soll sollte
du	willst wolltest	kannst konntest	musst musstest	darfst durftest	sollst solltest
er/es/sie	will wollte	kann konnte	muss musste	darf durfte	soll sollte
wir	wollen wollten	können konnten	müssen mussten	dürfen durften	sollen sollten
ihr	wollt wolltet	könnt konntet	müsst musstet	dürft durftet	sollt solltet
sie/Sie	wollen wollten	können konnten	müssen mussten	dürfen durften	sollen sollten

möchte hat kein Präteritum.
*Ich **möchte** heute an der Prüfung teilnehmen. – Ich **wollte** gestern an der Prüfung teilnehmen.*

Perfekt: *Simon* <u>*hat*</u> *nicht an der Prüfung* <u>*teilnehmen können*</u>*. Er war krank.*
                    haben   +   Infinitiv + Infinitiv (Modalverb)

Wenn man über die Vergangenheit spricht, benutzt man die Modalverben meist im Präteritum.

Infinitiv ohne *zu* nach:	**Infinitiv mit *zu* nach:**
1. Modalverben: *Er muss arbeiten.* 2. *werden* (Futur I): *Ich werde das Buch lesen.* 3. bleiben: *Wir bleiben im Bus sitzen.* 4. lassen: *Er lässt seine Tasche liegen.* 5. hören: *Sie hört ihn rufen.* 6. sehen: *Ich sehe das Auto losfahren.* 7. gehen: *Wir gehen baden.*	1. einem Nomen + Verb: *den Wunsch haben, die Möglichkeit haben, die Absicht haben,* *die Hoffnung haben, Lust haben, Zeit haben, Spaß machen …* → *Er hat den Wunsch, Medizin <u>zu</u> studieren.* 2. einem Verb: *anfangen, aufhören, beginnen, beabsichtigen, empfehlen,* *bitten, erlauben, gestatten, raten, verbieten, vorhaben,* *sich freuen …* → *Wir haben vor, die Prüfung <u>zu</u> machen.* 3. *sein* + Adjektiv: *wichtig, notwendig, schlecht, gut, richtig, falsch …* → *Es ist wichtig, regelmäßig Sport <u>zu</u> treiben.*

Nach manchen Verben können Infinitive mit und ohne *zu* folgen:

lernen: *Hans lernt Auto fahren.*   *Hans lernt, Auto <u>zu</u> fahren.*
helfen: *Ich helfe dir das Auto reparieren.* *Ich helfe dir, das Auto <u>zu</u> reparieren.*

Das Verb bestimmt, wie viele Ergänzungen in einem Satz stehen müssen und welchen Kasus sie haben.

Verb + Nominativ	*Der Junge ging unter.*
Verb + Akkusativ	*Er rettete einen vierjährigen Jungen.*
Verb + Dativ	*Ich helfe kranken und behinderten Reisenden.*
Verb + Dativ + Akkusativ	*Ich erkläre ihnen ihre weitere Reiseverbindung.*
Verb + Präposition + Akkusativ	*Die Leute freuen sich über einen warmen Ort.*
Verb + Präposition + Dativ	*Er begann mit den lebensrettenden Maßnahmen.*

Die Reihenfolge der Objekte im Satz ist von der Wortart der Objekte abhängig:

Die Objekte sind:	**Beispiele**	**Reihenfolge**
Nomen	*Ich erkläre den Reisenden ihre Verbindung.*	erst Dativ, dann Akkusativ
Nomen und Pronomen	*Ich erkläre ihnen ihre Verbindung.* *Ich erkläre sie den Reisenden.*	erst Pronomen, dann Nomen
Pronomen	*Ich erkläre sie ihnen.*	erst Akkusativ, dann Dativ

Eine Übersicht über Verben mit Ergänzungen finden Sie im Anhang.

Nomen

Deklination

Singular	Maskulinum	Neutrum	Femininum
Nominativ	der Traum	das Haus	die Unterkunft
Akkusativ	den Traum	das Haus	die Unterkunft
Dativ	dem Traum	dem Haus	der Unterkunft
Genitiv	des Traum**es***	des Haus**es***	der Unterkunft
Plural			
Nominativ	die Träume	die Häuser	die Unterkünfte
Akkusativ	die Träume	die Häuser	die Unterkünfte
Dativ	den Träume**n****	den Häuser**n****	den Unterkünfte**n****
Genitiv	der Träume	der Häuser	der Unterkünfte

*   Im Genitiv Singular enden Nomen im Maskulinum und Neutrum auf -*(e)s*.
      Ausnahmen: Nomen der n-Deklination und Adjektive als Nomen (z. B. *das Gute – des Guten*).
** Im Dativ Plural enden die meisten Nomen auf -*n*.
      Ausnahme: Nomen, die im Nominativ Plural auf -*s* enden (*Wo sind die Autos? – Kommt ihr mit den Autos?*)

Die n-Deklination

Zur n-Deklination gehören:
- nur **maskuline** Nomen mit folgenden Endungen:

-*e*:	der Löwe, der Junge, der Name	-*ant*: der Praktikant	-*graf*: der Fotograf
-*and*:	der Doktorand	-*it*: der Bandit	-*at*: der Soldat
-*soph*:	der Philosoph	-*ot*: der Pilot, der Chaot	-*ist*: der Polizist, der Artist
-*ent*:	der Student, der Präsident	-*loge*: der Psychologe, der Soziologe	-*agoge*: der Pädagoge

- einige **maskuline** Nomen ohne Endung:
  der Mensch, der Herr, der Nachbar, der Held, der Bauer …

Singular		
Nominativ	der Kunde	der Mensch
Akkusativ	den Kunde**n**	den Mensch**en**
Dativ	dem Kunde**n**	dem Mensch**en**
Genitiv	des Kunde**n**	des Mensch**en**
Plural		
Nominativ	die Kunden	die Menschen
Akkusativ	die Kunden	die Menschen
Dativ	den Kunden	den Menschen
Genitiv	der Kunden	der Menschen

Einige Nomen haben im Genitiv Singular die Endung -*ns* (Mischformen):
der Name, des Namens   *der Glaube, des Glaubens*
der Buchstabe, des Buchstabens   *der Wille, des Willens*
***das** Herz, des Herzens*

Deklination der nominalisierten Adjektive und Partizipien · Kapitel 3 (AB)

Adjektive und Partizipien können zu Nomen werden. Sie werden aber trotzdem wie Adjektive dekliniert:
*Der Arzt hilft **k**ranken Menschen. – Der Arzt hilft **K**ranken.*

	Maskulinum	**Neutrum**	**Femininum**	**Plural**
Nominativ	der Deutsche	das Deutsche	die Deutsche	die Deutschen
Akkusativ	den Deutschen	das Deutsche	die Deutsche	die Deutschen
Dativ	dem Deutschen	dem Deutschen	der Deutschen	den Deutschen
Genitiv	des Deutschen	des Deutschen	der Deutschen	der Deutschen

Pluralbildung · Kapitel 3

	Pluralendung	**Welche Nomen?**	**Beispiel**
1.	-(¨)Ø	• maskuline Nomen auf *-en/-er/-el* • neutrale Nomen auf *-chen/-lein*	*der Laden – die Läden* *das Mädchen – die Mädchen*
2.	-(e)n	• fast alle femininen Nomen (ca. 96 %) • maskuline Nomen auf *-or* • alle Nomen der n-Deklination	*die Tafel – die Tafeln* *der Konditor – die Konditoren* *der Junge – die Jungen*
3.	-(¨)e	• die meisten maskulinen und neutralen Nomen (ca. 70 %)	*der Bestandteil – die Bestandteile* *die Nuss – die Nüsse*
4.	-(¨)er	• einsilbige neutrale Nomen • Nomen auf *-tum*	*das Kind – die Kinder* *der Irrtum – die Irrtümer*
5.	-s	• viele Fremdwörter • Abkürzungen • Nomen mit *-a/-i/-o/-u* im Auslaut	*der Fan – die Fans* *der Lkw – die Lkws* *der Kaugummi – die Kaugummis*

Adjektiv

Deklination der Adjektive · Kapitel 3

Typ I: bestimmter Artikel + Adjektiv + Nomen

	der Körper	**das Fachgebiet**	**die Wirkung**	**Körper (Pl.)**
N	der menschlich**e**	das neu**e**	die therapeutisch**e**	die menschlich**en**
A	den menschlich**en**	das neu**e**	die therapeutisch**e**	die menschlich**en**
D	dem menschlich**en**	dem neu**en**	der therapeutisch**en**	den menschlich**en**
G	des menschlich**en**	des neu**en**	der therapeutisch**en**	der menschlich**en**

auch nach:
• Fragewörtern: *welcher, welches, welche*
• Demonstrativartikeln: *dieser, dieses, diese; jener, jenes, jene*
• Indefinitartikeln: *jeder, jedes, jede; alle* (Pl.)
• Negationsartikeln und Possessivartikeln im Plural: *keine, meine*

Typ II: unbestimmter Artikel + Adjektiv + Nomen

	der Körper	das Fachgebiet	die Wirkung	Körper (Pl.)
N	ein menschlich**er**	ein neu**es**	eine therapeutisch**e**	menschlich**e**
A	einen menschlich**en**	ein neu**es**	eine therapeutisch**e**	menschlich**e**
D	einem menschlich**en**	einem neu**en**	einer therapeutisch**en**	menschlich**en**
G	eines menschlich**en**	eines neu**en**	einer therapeutisch**en**	menschlich**er**

auch nach:
- Negationsartikeln: *kein, kein, keine* (Sg.)
- Possessivartikeln: *mein, mein, meine; dein, dein, deine; …* (Sg.)

Typ III: ohne Artikel + Adjektiv + Nomen

	der Körper	das Fachgebiet	die Wirkung	Körper (Pl.)
N	menschlich**er**	neu**es**	therapeutisch**e**	menschlich**e**
A	menschlich**en**	neu**es**	therapeutisch**e**	menschlich**e**
D	menschlich**em**	neu**em**	therapeutisch**er**	menschlich**en**
G	menschlich**en**	neu**en**	therapeutisch**er**	menschlich**er**

auch nach:
- Zahlen: *zwei, drei, vier …*
- Indefinitartikeln im Plural: *viele, einige, wenige, andere*

Komparativ und Superlativ

	steht nicht vor Nomen	steht vor Nomen
Komparativ	1. Adjektive + Endung **er** 2. Einsilbige Adjektive: *a, o, u* wird meistens zu *ä, ö, ü* 3. Adjektive auf *-el* und *-er*: *-e-* fällt weg (*teuer – teurer*)	4. Komparative müssen dekliniert werden: *das interessant**ere** Hobby* *ein toll**eres** Hobby* 5. Ausnahmen: *Ich würde gern **mehr** Filme sehen.* *Jetzt habe ich noch **weniger** Zeit.*
Superlativ	1. **am** + Adjektiv + Endung **sten** 2. Adjektive auf *-d, -s, -sch, -st, -ß, -t, -x, -z*: meistens Endung **esten** (Ausnahme: *groß – am größten*)	3. Superlative müssen dekliniert werden: Adjektiv + **(e)st** + Kasusendung 4. *am* entfällt *das interessant**este** Hobby* *mein lieb**stes** Hobby*

besondere Formen:

gut – besser – am besten
gern – lieber – am liebsten
viel – mehr – am meisten

hoch – höher – am höchsten
nah – näher – am nächsten
groß – größer – am größten

Vergleiche mit *als/wie*

Grundform + *wie*:   *Meine Kinder gehen (genau)so gern ins Kino wie ich.*
Komparativ + *als*:   *Im Sommer bin ich viel aktiver als im Winter.*

Satz

Hauptsatz + Nebensatz:	*Er ruft nicht um Hilfe, **obwohl** er Angst hat.*
Hauptsatz + Hauptsatz:	*Nach Hilfe rufen war lächerlich, **denn** die Freunde waren nicht weit.*
Hauptsatz + Hauptsatz mit Inversion (Verb direkt hinter dem Konnektor):	*Heute ist sein Geburtstag, **deshalb** feiern sie zusammen.*

	Grund (kausal)	Gegengrund (konzessiv)	Folge (konsekutiv)
Hauptsatz + Nebensatz	weil, da	obwohl	so …, dass sodass
Hauptsatz + Hauptsatz	denn	✕	✕
Hauptsatz + Hauptsatz mit Inversion	✕	trotzdem	darum, daher, deswegen, deshalb

Auswertung

Typ A: Sie mögen es ruhig und gemütlich.

Auf dem Land fühlen Sie sich am wohlsten. Sie lieben Natur und Ruhe und möchten am liebsten in einem großen Haus mit Garten wohnen. Ein enges Verhältnis zu Ihren Nachbarn ist Ihnen wichtig, denn so kann man sich gegenseitig helfen oder auch zusammen Feste feiern. Dass Sie Einkäufe mit dem Auto erledigen müssen und auch einen weiten Weg zur Arbeit haben, nehmen Sie gerne in Kauf. Dafür haben Sie keinen Lärm um sich herum und immer frische Luft. Das Leben in der Großstadt wäre Ihnen viel zu stressig.

Typ B: Sie mögen es bequem und übersichtlich.

Die Kleinstadt ist der ideale Wohnort für Sie. Dort können Sie ruhig und günstig wohnen und haben trotzdem Kinos und Geschäfte in der Nähe. Sie können eigentlich immer zu Fuß gehen oder mit dem Fahrrad fahren, alles ist in erreichbarer Nähe. Sollten Sie doch einmal das Auto brauchen, finden Sie fast immer schnell einen Parkplatz. Sie mögen es, durch die Stadt zu gehen und hier und da Leute zu treffen, die Sie kennen. Die Anonymität der Großstadt ist nichts für Sie, aber auf dem Land ist es Ihnen auch zu langweilig. Außerdem können Sie beides ja auch am Wochenende haben, wenn Sie möchten.

Typ C: Sie mögen es turbulent und lebendig.

Sie sind der geborene Großstadtmensch. Sie lieben die Hektik und Lebendigkeit der Stadt und fühlen sich erst so richtig wohl, wenn Sie mittendrin sind. In Ihrer Freizeit nutzen Sie das kulturelle Angebot und ziehen durch die neuesten Kneipen und Restaurants. Die Anonymität der Stadt macht Ihnen nichts aus. Im Gegenteil: Sie genießen die Freiheit, tun zu können, was Sie möchten. Auf dem Land oder in einer Kleinstadt würden Sie sich langweilen, auch wenn das Leben dort viel billiger ist.

Mischtyp:

Ist Ihr Ergebnis nicht eindeutig? Lesen Sie alle drei Typbeschreibungen.

Vorlage für eigene Porträts einer Person

Name, Vorname(n)	
Nationalität	
geboren/gestorben am	
Beruf(e)	
bekannt für	
wichtige Lebensstationen	
Was sonst noch interessant ist (Filme, Engagement, Hobbies…)	

Vorlage für eigene Porträts eines Unternehmens / einer Organisation

Name	
Hauptsitz	
gegründet am/in/von	
Tätigkeitsfeld(er)	
bekannt für	
wichtige Daten/Entwicklungen	
Was sonst noch interessant ist (Engagement, Sponsoren …)	

Lösungen zum Arbeitsbuch

Wortschatz

Ü1a Ausbildung/Arbeit: die Fremdsprache, die Firma, lernen, der Job, die Fabrik, arbeiten als …, das Büro, Teilzeit, Vollzeit, die Arbeitsstelle, das Studium, die Kollegen, der Betrieb, die Schule
Familie: die Partnerin, geschieden, der Ehemann, getrennt, die Ehefrau, der Single, alleinerziehend, die Eltern, der Sohn, verheiratet, die Tochter, das Kind, der Partner
Wohnen: bauen, das Apartment, die Mietwohnung, das Haus, die Nachbarn, die Stadt, die WG (Wohngemeinschaft), das Dorf, der Garten
Freizeit: der Sport, reisen, die Fremdsprache, sammeln, der Verein, der Garten, fernsehen, ausgehen, lesen, die Musik, im Internet surfen, etwas im Internet posten, das Hobby, die Freunde, faulenzen, das Instrument

Ü2b 2. die Ruhe, 3. die Unsicherheit, 4. der Witz, 5. der Ehrgeiz, 6. die Ehrlichkeit, 7. die Schüchternheit, 8. das Selbstbewusstsein, 9. die Geduld, 10. die Freundlichkeit, 11. die Kreativität, 12. die Zuverlässigkeit, 13. die Offenheit, 14. die Hilfsbereitschaft, 15. die Zufriedenheit, 16. das Verantwortungsbewusstsein

Ü2c charmant – uncharmant, ruhig – unruhig, witzig – humorlos/langweilig, ehrgeizig – antriebslos, schüchtern – selbstbewusst, geduldig – ungeduldig, freundlich – unfreundlich, kreativ – unkreativ/fantasielos, zuverlässig – unzuverlässig, offen – verschlossen, hilfsbereit – egoistisch, zufrieden – unzufrieden, verantwortungsbewusst – verantwortungslos

Modul 1   Gelebte Träume

Ü1a Pia: im Ausland leben und als Krankenschwester arbeiten, ein eigenes Café
Max: in Frankreich studieren, eigene Firma gründen

Ü1b 1. erfüllen, 2. realisieren, 3. verwirklichen, 4. aufgeben

Ü2a 2. eröffnen – eröffnete – hat eröffnet
3. aufwachsen – wuchs auf – ist aufgewachsen
4. träumen – träumte – hat geträumt 5. nehmen – nahm – hat genommen 6. werden – wurde – ist geworden 7. studieren – studierte – hat studiert
8. aufgeben – gab auf – hat aufgegeben
9. verdienen – verdiente – hat verdient
10. sein – war – ist gewesen

Ü2b 1. habe … studiert, habe … verdient, hat … angeboten, habe … gemacht, hat … gefallen, habe … entschlossen

2. habe … angefangen, bin … gegangen, habe … gearbeitet, habe … gesucht

Ü2c (1) passiert, (2) bestanden, (3) gemacht, (4) gefahren, (5) gesegelt, (6) verbracht, (7) erholt, (8) gelesen, (9) besichtigt, (10) geflogen

Ü3a Christiane Paul: waren, nahm … teil, jobbte, begann, spielte, studierte, promovierte, gab … auf
Klaus Maria Brandauer: wuchs … auf, lebte, ging, verließ, hatte, folgten, arbeitete, machte, gewann, führte

Modul 2   In aller Freundschaft

Ü1a der entfernte Bekannte – der gute Bekannte – der Freund – der gute Freund – der dicke Freund / der enge Freund – der beste Freund

Ü2 2. Er sagt mir die Wahrheit. → Er ist ehrlich.
3. Eine gute Freundin teilt gerne mit anderen. → Sie ist großzügig. 4. Tom will seine Ziele erreichen. → Er ist ehrgeizig. 5. Sonja und Marion gehen oft zusammen ins Fitnessstudio. → Sie sind sportlich. 6. Partrick ist in seiner Freizeit sehr aktiv. → Er ist unternehmungslustig. 7. Du akzeptierst auch andere Meinungen. → Du bist tolerant. 8. Meine Freundin erzählt sehr lustige Geschichten. → Sie ist witzig. 9. Mein ältester Freund weiß sehr viele Dinge. → Er ist gebildet.

Ü3a 1 B, 2 D, 3 C, 4 A

Ü3b 1. richtig, 2. richtig, 3. falsch, 4. falsch, 5. falsch

Modul 3   Heldenhaft

Ü2 (1) unglaublichen, (2) schneller, (3) Heldentaten, (4) Mut, (5) retten, (6) halten, (7) Aktion, (8) einsetzen, (9) Interessen, (10) Held

Ü3a Verben mit Dativ: schmecken: Die Suppe schmeckt wirklich gut. – zustimmen: Da kann ich dir leider nicht zustimmen. – zuhören: Hören Sie mir bitte zu. – schaden: Der Mensch schadet der Umwelt. – danken: Ich danke dir für deine Hilfe. – gratulieren: Ich gratuliere dir zur bestandenen Prüfung. – einfallen: Mir fällt die Telefonnummer einfach nicht ein. – gefallen: Diese dunkle Farbe gefällt mir nicht. – helfen: Er hilft seinem Nachbarn bei der Reparatur des Autos. – passen: Dieser Termin passt mir gut.
Verben mit Akkusativ: haben: Mein Nachbar hat viel Geld. – erziehen: Eltern müssen ihre Kinder erziehen. – erhalten: Ich habe Ihre Nachricht erhalten. – beantworten: Der Schüler beantwortet die Frage des Lehrers. – bekommen: Ich bekomme jeden Tag viele E-Mails. – essen: Ich esse gern Pizza. – lieben: Ich liebe klassische Musik. – hören: Hören Sie dieses Geräusch? – benutzen: In der Prüfung darf man

kein Wörterbuch benutzen. – lesen: Ich lese diese Zeitung täglich.

Ü4 1. ein, den, das, meiner, 2. das, einer, eine, meinen

Ü5 (2) die Polizei, (3) die Autobahn, (4) dem Verletzten, (5) den Unfallort, (6) den nachfolgenden Verkehr, (7) großes Glück

Ü6 2. Die Polizei verbietet dem leicht Verletzten die Weiterfahrt. 3. Der Radiosender teilte den Zuhörern die Straßensperrung mit. 4. Der Arzt erlaubte dem Patienten das Aufstehen. 5. Der Gerettete schenkte seinen Helfern einen Strauß Blumen. 6. Die Stadt schickte dem Unfallverursacher eine Rechnung.

Ü7 ich, mich mir; du, dich, dir; er, ihn, ihm; es, es, ihm; sie, sie, ihr; wir, uns, uns; ihr, euch, euch; sie, sie, ihnen

Ü8 2. Ja, er zeigte ihr seinen Ausweis. 3. Ja, sie gestatte ihm die Weiterfahrt. 4. Ja, sie nahm sie dem Autofahrer weg. 5. Ja, die Ärztin empfahl sie ihm. 6. Ja, der 30-jährige Fahrer gestand ihn ihr.

Ü9a 2. um + A, 3. für + A, 4. helfen bei + D, 5. auf + A, 6. um + A, 7. um + A, 8. auf + A, 9. vor + D

Modul 4 Vom Glücklichsein

Ü1a das Mutterglück, das Glücksgefühl, der Glücksmoment, das Eheglück, das Glücksspiel, das Familienglück, der Glückstag, die Glückszahl, das Glückssymbol, das Glückshormon, der Glückskeks, die Glückssträhne, der Glückspilz, das Anfängerglück, die Glücksfee

Ü1b 2 c, 3 a, 4 d, 5 b, 6 g, 7 f

Aussprache Hauchlaut oder Vokalneueinsatz

Ü1a 1. Hände, 2. Ecke, 3. eilen, 4. heben, 5. herstellen, 6. aus

Ü2a 3. Jo/<u>h</u>an/nes, 4. se/<u>h</u>en, 5. leb/<u>h</u>aft, 6. er/<u>h</u>e/ben, 7. Al/ko/<u>h</u>ol, 8. un/<u>h</u>alt/bar, 9. See/<u>h</u>und, 10. ehr/lich, 11. woh/nen, 12. Frech/<u>h</u>eit, 13. Ge/<u>h</u>il/fe

Kapitel 2   Wohnwelten

Wortschatz

Ü1 (1) Wohnung, (2) Mietvertrag, (3) Stadtmitte, (4) Wohnblock, (5) Zimmer, (6) Schlafzimmer, (7) Küche, (8) Bad, (9) Dusche, (10) Stock, (11) Aufzug, (12) Balkon, (13) Quadratmeter, (14) Parkplatz, (15) Tiefgarage

Ü2 (1) Wo ist denn die Wohnung? / Wo liegt die Wohnung? (2) Fährst du mit dem Auto zur Arbeit? (3) Wie groß ist die Wohnung? (4) Wie

hoch ist die Miete? (5) Und wie hoch sind die Nebenkosten?

Ü3a 1 f, 2 e, 3 a, 4 b, 5 d, 6 c

Ü3b 2. c, 3. d/e/h, 4. b, 5. d/e/h, 6. j, 7. a, 8. g, 9. e/i, 10. d/e/h

Ü4 1. heizen, 2. kündigen, 3. mieten, 4. klingeln, 5. ausziehen, 6. putzen, 7. aufräumen, 8. dekorieren, 9. wohnen, 10. parken, 11. einziehen, 12. vermieten, 13. einrichten, 14. renovieren, Lösungswort: Traumwohnung

Modul 1 Eine Wohnung zum Wohlfühlen

Ü1 2. einpacken, 3. bezahlen, 4. einziehen, besorgen, 5. entscheiden, 6. auspacken, aufhängen

Ü2 (2) angesehen, (3) verglichen, (4) begonnen, (5) herumgelaufen, (6) kennengelernt, (7) entschieden, (8) angeschrieben, (9) umgezogen

Ü3 2. Pack bitte die Gläser und Teller ein. 3. Mach bitte die Tür auf! 4. Vergiss den Schlüssel nicht! 5. Bring bitte Pizza und Getränke mit. 6. Schließ das Auto ab!

Ü5 2. einfach zu verreisen. 3. in die neue Wohnung einzuziehen. 4. vorbeizukommen und zu helfen. 5. alles auszupacken und aufzubauen.

Ü6 (2) fühle … wohl, (3) entschieden, (4) umzuziehen, (5) genieße, (6) aufräumen/abwaschen, (7) abwaschen/aufräumen, (8) einteilen, (9) gieß … ein, (10) ruh … aus

Ü7 100 % D, 95 % H, 87 % G, 59 % A, 50 % I, 47 % E, 25 % B, 19 % F, 5 % C

Modul 2 Ohne Dach

Ü1a 1. f, 2. f, 3. r, 4. r, 5. r, 6. f

Ü1b <u>11</u>: Ausgaben pro Jahr; <u>38.000</u>: Auflagenhöhe; <u>2.400</u>: wohnungslose Menschen in München; <u>2,20 €</u>: Preis der Zeitung; <u>1,10 €</u>: Anteil für Verkäufer; <u>100</u>: BISS-Verkäufer; <u>36</u>: festangestellte und sozialversicherte Verkäufer

Modul 3 Wie man sich bettet, …

Ü1 1. der Komfort, 2. das Angebot, 3. die Ausstattung, 4. die Gemütlichkeit, 5. die Übernachtung, 6. die Entspannung

Ü2a (1) -, (2) -, (3) -n, (4) -n, (5) -, (6) -, (7) -n, (8) -, (9) -, (10) -en, (11) -, (12) -en, (13) -, (14) -, (15) -en, (16) -n, (17) -n

Ü2b 2. seinen Namen, 3. einen älteren Herr(e)n, 4. dem Rezeptionisten / einen Chaoten, 5. einem Fotografen, 6. eines jungen Touristen

Lösungen zum Arbeitsbuch

Modul 4 Hotel Mama

Ü1 (1) B zu Hause, (2) A genügend, (3) C und, (4) C zu übernehmen, (5) A ausgezogen, (6) C in, (7) A Meine, (8) B könnte, (9) B diesen, (10) A dass

Ü2 1. Ihre Kinder sind ausgezogen. 2. Marcel ist 30 und Lea ist 27. 3. Sandra wohnt in einem Haus mit Christian. Jetzt haben sie viel Platz. 4. Er hat sich verliebt. / Er hat eine Freundin gefunden. / Er hat eine nette Frau kennengelernt. 5. Sie ist beruflich / aus beruflichen Gründen nach Zürich gegangen.

Ü3 1. f, 2. r, 3. r, 4. f, 5. f, 6. r

Ü4a 2. interessante Anzeigen markieren, 3. anrufen und Besichtigungstermine vereinbaren, 4. die Wohnungen besichtigen, 5. sich für eine Wohnung entscheiden, 6. den Mietvertrag unterschreiben, 7. die Kaution bezahlen, 8. die Kisten packen, 9. zusammen mit Freunden alle Möbel und Kisten in die neue Wohnung bringen, 10. die alte Wohnung streichen, 11. eine Einweihungsparty geben

Aussprache trennbare Verben

Üa aufgeregt, angestellt, anhört, annehmen, aufzuräumen, herumliegen, dazugibt, vorgestellt, auszieht

Üb Betonung liegt nicht auf dem Verb, sondern auf dem Präfix: <u>au</u>fregen, <u>an</u>stellen, <u>an</u>hören, <u>an</u>nehmen, <u>au</u>fräumen, <u>vor</u>stellen, <u>au</u>sziehen. Hat das Präfix zwei Silben, dann liegt die Betonung auf der 2. Silbe: her<u>um</u>liegen, daz<u>u</u>geben.

Kapitel 3   Wie geht's denn so?

Wortschatz

Ü1a 1. der Kopf, 2. das Auge, 3. die Nase, 4. das Ohr, 5. der Mund, 6. der Hals, 7. die Brust, 8. der Oberkörper, 9. der Arm, 10. der Bauch, 11. die Hand, 12. der Finger, 13. das Bein, 14. der Oberschenkel, 15. das Knie, 16. der Unterschenkel, 17. der Fuß, 18. der Zeh (die Zehe)

Ü2 <u>Arzt</u>: den Blutdruck messen, nach dem Befinden fragen, die Diagnose stellen, ein Medikament verschreiben, ein Rezept ausstellen, den Zahn ziehen
<u>Patient</u>: ein Rezept abholen, eine Spritze bekommen, ein Medikament einnehmen, sich auf die Waage stellen, den Oberkörper frei machen, einen Termin vereinbaren, seine Schmerzen beschreiben, sich eine Überweisung geben lassen, die Versichertenkarte vorlegen

Ü3 1. F, 2. H, 3. D, 4. B, 5. A, 6. E, 7. C, 8. G

Ü4 (1) tut … weh, (2) schlapp, (3) Fieber, (4) Grippe, (5) Symptome, (6) Erkältungsmittel, (7) krankgemeldet, (8) Krankschreibung, (9) Besserung, (10) kurier … aus

Modul 1 Eine süße Versuchung

Ü1 <u>Bestandteile</u>: der Zucker, das Marzipan, das Fett, die Bitterschokolade, die Nüsse, der Geschmacksverbesserer, der Kakao, das Aroma, der/das Nougat, das Sahnepulver
<u>Gesundheit</u>: das Glückshormon, die Nervennahrung, die Psyche, die Kalorien,
<u>Süßigkeit</u>: das Marzipan, die Bitterschokolade, der Keks, der Schokoriegel, der Kaugummi, der/das Nougat

Ü2a 1 B, 2 C, 3 A

Ü2b <u>Mengenangaben</u>: die Kugel, der Milliliter, die Prise, das Stück(-chen)
<u>Zutaten/Lebensmittel</u>: der Ahornsirup, die Banane, die Butter, das (Vanille-)Eis, der Eiswürfel, der Honig, der Kaffee, die Mandel, das Mehl, die Milch, das Salz, die Schlagsahne, der Zitronensaft
<u>Zubereitung</u>: auflösen, backen, bestreichen, braten, erhitzen, garnieren, (hinein/hinzu/darauf)geben, (über)gießen, hacken, kaltstellen, kochen, legen, mixen, pressen, schälen, steif schlagen, verrühren, wenden, zerkleinern, zerlaufen lassen
<u>Geräte/Gegenstände</u>: das Glas, die Pfanne, der Teller, der Topf

Ü3a 2. das Ei – die Eier (Typ 4), 3. der Teller – die Teller (Typ 1), 4. die Zitrone – die Zitronen (Typ 2), 5. die Banane – die Bananen (Typ 2), 6. der Saft – die Säfte (Typ 3), 7. die Kugel – die Kugeln (Typ 2), 8. der Kühlschrank – die Kühlschränke (Typ 3), 9. das Glas – die Gläser (Typ 4), 10. Pfanne – die Pfannen (Typ 2), 11. der Mixer – die Mixer (Typ 1), 12. die Mandel – die Mandeln (Typ 2), 13. die Schüssel – die Schüsseln (Typ 2), 14. der Eiswürfel – die Eiswürfel (Typ 1)

Ü3b die Kuchen – der Kuchen, die Formen – die Form / die Kuchenformen – die Kuchenform, die Gabeln – die Gabel, die Töpfe – der Topf, die Messer – das Messer, die Korkenzieher – der Korkenzieher, die Deckel – der Deckel, die Kannen – die Kanne, die Schalen – die Schale, die Untertassen – die Untertasse, die Papierrollen – die Papierrolle, die Eierbecher – der Eierbecher, die Flaschen – die Flasche, die Krüge – der Krug, die Schneidebretter – das Schneidebrett, die Schneebesen – der Schneebesen, die Flaschen-öffner – der Flaschenöffner, die Dosen – die Dose, die Gewürze – das Gewürz, die Servietten – die Serviette, die Geschirrtücher – das Geschirr-tuch

Ü4 (2) Restaurants, (3) Kugeln, (4) Nüssen, (5) Salaten, (6) Desserts

Modul 2 Frisch auf den Tisch?!

Ü1 2. Kunde, 3. Einkaufszettel, 4. Kalorien, 5. Fertig-gerichte, 6. Etikett, 7. Haltbarkeitsdatum, 8. Haus-halt

Ü2a 1. a, 2. b, 3. a, 4. b, 5. a, 6. a

Ü3 1 Marianne ja, 2 Horst nein, 3 Caroline ja, 4 Patrick nein, 5 Julia ja, 6 Heidi nein, 7 Marius nein

Modul 3 Lachen ist gesund

Ü1 2. f, 3. b, 4. a, 5. g, 6. d, 7. e

Ü2b

	Typ 1	Typ 2	Typ 3
N	die meisten Kurs-teilnehmer, alle an-gemeldeten Teil-nehmer, diese einfache Methode, der richtige Weg		junge Menschen
A	das gute Gefühl, die innere Balance, den notwendigen Optimismus, die ei-gene Lebensfreude	einen positiven Nutzen, eine stei-gende Tendenz	
D	der allgemeinen Heiterkeit, den un-terschiedlichsten Gründen	einem intensiven Training	
G		ihres gelockerten und entspannten Körpers, einer schweren Krankheit	

Ü3 1. Das sind die neuesten Sportarten, sehr anstrengende Sportübungen, alle kostenlosen Trainingsmöglichkeiten, zwei interessante Vorschläge für mehr Bewegung, keine positiven Auswirkungen auf den Körper.
2. Zeitungen berichten viel über eine gesunde Lebensweise, das wichtigste Sportereignis des Jahres, alle aktuellen Fußballspiele, ausgewählte Sportveranstaltungen, das neueste Sportprojekt.
3. Mein Arzt rät zu täglicher Bewegung, einem regelmäßigen Ausdauertraining, morgendlicher Gymnastik, einer vitaminreichen Kost, kalorienarmem Essen, mehr frischem Obst und Gemüse, weniger fettigem Essen.
4. Das ist das Programm der gesetzlichen Krankenkassen, unseres neuen Sportvereins, der

regionalen Fußballliga, eines neuen Projektes für mehr Bewegung, meines wöchentlichen Gymnastikkurses.

Ü4 (1) positive, (2) kleinen, (3) regelmäßigen, (4) halbe, (5) intensiven, (6) ausreichende, (7) kaltem, (8) vitaminreiche

Ü6a 2. arbeitslos, 3. jugendlich, 4. neu, 5. betrunken, 6. fremd, 7. verwandt, 8. verlobt, 9. behindert, 10. deutsch

Ü6b 1. Behinderte Menschen …, Behinderte …, 2. Viele deutsche Frauen und Männer …, Viele Deutsche …, 3. Die Anzahl der arbeitslosen Menschen …, Die Anzahl der Arbeitslosen …, 4. Für erwachsene Kinobesucher …, Für Erwachsene …, 5. … mit einem fremden Mann …, … mit einem Fremden …, 6. Der betrunkene Fahrer …, Der Betrunkene …, 7. … den neuen Kollegen …, … den Neuen …

Modul 4 Bloß kein Stress!

Ü1 Ich bin entspannt: die Entspannung, die Höchst-leistung, die Ruhe, normaler Puls, gelassen, konzentriert, schnell, leistungsfähig, organisiert
Ich bin gestresst: langsam, nervös, das Leistungstief, die Nervosität, schneller Puls, vergesslich, die Unruhe, überfordert, schwach

Ü2b 1. r, 2. f, 3. r, 4. f, 5. f, 6. f, 7. r

Ü3a Toni: halbe Stelle, aber Arbeit für ganze Stelle; kommt nicht pünktlich von der Arbeit; muss Kinder abholen, muss hetzen, muss viel tun bis seine Frau um fünf nach Hause kommt (einkaufen, kochen, aufräumen); immer schlechtes Gewissen – keine Zeit für Kinder; schnell genervt;
Maja: eigene Firma, viel Arbeit (Bestellungen, Homepage, Kunden, …), keine Freizeit; immer Sorgen um das Geld; Streit mit Lina; soll Werbung machen

Ü3b Freunde/Familie um Hilfe bitten: T, Arbeit im Haushalt planen und teilen: T, einen Firmenberater um Rat bitten: M, mit Chef über die Aufgaben sprechen: T, Probleme offen besprechen: B, einen Mitarbeiter/Praktikanten einstellen: M, freie Zeiten organisieren: B, mehr Sport machen: B, mehr Geduld haben: M

Aussprache ü oder i, u und ü

Ü1a 1. Kissen, 2. Kiel, 3. spülen, 4. liegen, 5. Münze, 6. fühlen, 7. Tier, 8. vier, 9. Bühne, 10. Kiste, 11. Züge

Ü2a 1. die Bücher, 2. die Strümpfe, 3. die Grüße, 4. die Tücher, 5. die Züge, 6. die Flüsse, 7. die Mütter, 8. die Hüte

Lösungen zum Arbeitsbuch

Kapitel 4   Viel Spaß!

Wortschatz

Ü1   <u>Spiele</u>: das Kartenspiel, mischen, raten, die Spielregel, das Brettspiel
<u>Fitness und Sport</u>: joggen, das Schwimmbad, Rad fahren, trainieren, Ski fahren
<u>Musik</u>: das Instrument, die Bühne, die Oper, das Publikum, die Rolle, der Chor, die Band, die Disco, der Club, der Hit
<u>Literatur und Theater</u>: die Bühne, die Rolle, der Regisseur, der Roman, das Gedicht, das Publikum
<u>Bildende Kunst</u>: das Gemälde, die Galerie, die Malerei, die Ausstellung, die Zeichnung, das Museum

Ü2   2. Wenn ich klettern will, fahre ich ins Gebirge. 3. Wenn ich lesen will, gehe ich in die Bibliothek / setze ich mich an meinen Schreibtisch. 4. Wenn ich einen Film sehen will, gehe ich ins Kino. 5. Wenn ich tanzen will, gehe ich in die Disco. 6. Wenn ich Freunde treffen will, gehe ich in die Disco / in den Biergarten / in die Kneipe. 7. Wenn ich schwimmen will, gehe ich ins Freibad / an den See. 8. Wenn ich chatten will, gehe ich ins Internetcafé. 9. Wenn ich angeln will, gehe ich an den See. 10. Wenn ich Sport treiben will, gehe ins Fitnessstudio / auf den Sportplatz / auf den Tennisplatz. 11. Wenn ich Tennis spielen will, gehe ich auf den Tennisplatz. 12. Wenn ich entspannen will, gehe ich in die Sauna / in den Park.

Ü3a   2. vorbereiten, unternehmen, feiern, 3. verabreden, treffen, entspannen, 4. vertreiben, 5. ausleihen, ansehen, 6. vorbereiten, besuchen, feiern, 7. schicken, annehmen, 8. reservieren, besorgen, schicken, 9. erklären, vorbereiten, ansehen, 10. erleben, 11. besuchen, einladen, treffen

Ü3b   1. der Besuch, 2. die Entspannung, 3. das Erlebnis, 4. die Erklärung, 5. die Verabredung, 6. die Vorbereitung

Ü4   1. unternehmen, 2. verabreden, 3. beobachten, 4. besorgen, 5. erleben

Modul 1   Meine Freizeit

Ü1a   1. falsch, 2. richtig, 3. falsch, 4. richtig, 5. richtig, 6. falsch

Ü2a   alt – älter – am ältesten, gesund – gesünder – am gesündesten, häufig – häufiger – am häufigsten, kurz – kürzer – am kürzesten, lang – länger – am längsten, nett – netter – am nettesten, süß – süßer – am süßesten, teuer – teurer – am teuersten, gern – lieber – am liebsten, gut – besser – am besten, viel – mehr – am meisten

Ü2b   1. lieber, 2. gesünder/besser, 3. mehr, häufiger, 4. länger, 5. besser, teurer, 6. netter

Ü3   (1) wie, (2) als, (3) wie, (4) als, (5) als, (6) wie

Ü4   1. größte, meisten, 2. langweiligste, 3. Am liebsten, 4. beste, 5. am wenigsten, 6. am erholsamsten

Ü5   1. am liebsten, jüngeren, 2. höchsten, schnellsten, gefährlichste, 3. ruhigeres, 4. neueste, besseres

Modul 2   Spiele ohne Grenzen

Ü2   1. E, 2. D, 3. A, 4. F, 5. B, 6. C

Ü3   2. Durch die Interaktion mit anderen wird auch das Sozialverhalten geschult. 3. Aber nicht nur Kinder, sondern auch Erwachsene spielen gern, z. B. um sich zu entspannen. 4. Dafür haben wir heute auch mehr Zeit als die Menschen früher. Was wir spielen, kann sich allerdings kulturell unterscheiden. 5. Es gibt Spiele, die spielt man auf der ganzen Welt, andere sind typisch für eine bestimmte Kultur. Und der Spielemarkt entwickelt sich ständig weiter. 6. Dort werden neben den Spieleklassikern ständig neue Spiele angeboten. Beliebt sind natürlich auch Computerspiele. 7. Wichtig ist, dass man nicht zu viel Zeit damit verbringt und den Bezug zur Realität nicht verliert.

Modul 3   Abenteuer im Paradies

Ü2   die Spannung – spannend, die Einsamkeit – einsam, die Angst – ängstlich, der Held / die Heldin – heldenhaft, die Hitze – heiß, das Glück – glücklich, die Überraschung – überraschend, der Mut – mutig, die Gefahr – gefährlich

Ü3   2. trotzdem, 3. deshalb, 4. deshalb, 5. trotzdem

Ü4   1. denn, 2. sodass, 3. Weil, 4. Obwohl

Ü5   2. Letztes Jahr ist er nur bis zum Bodensee gefahren, weil er nur neun Tage Urlaub hatte. 3. Auch dieses Jahr kann er nur zwölf Tage Urlaub nehmen, deshalb will er „nur" von München bis Florenz fahren. 4. Er fährt die Strecke im September, denn im August ist es zu heiß. 5. Aber im September gibt es manchmal viel Regen, sodass er letztes Jahr zwei Tage nicht weiterfahren konnte. 6. Die/Seine Reisen sind oft sehr anstrengend, trotzdem will er jedes Jahr wieder fahren. 7. Er hat seine Freundin schon oft zu einer Tour überredet, obwohl sie nicht so gerne Fahrrad fährt.

Ü6   1. Ein Auto muss bremsen, denn ein Mann geht bei Rot über die Straße. 2. Seine Besitzerin ruft ihn, trotzdem läuft der Hund weg. 3. Der Gemüseladen hat schon zu, trotzdem klopft eine Frau an die Ladentür. 4. Die Feuerwehr kommt, denn Rauch steigt aus einer Wohnung auf.

5. Eine Frau stolpert und verletzt sich am Bein, deswegen muss ein Mann einen Krankenwagen rufen. 6. Die verletzte Frau ist ungeduldig, weil der Krankenwagen immer noch nicht da ist. 7. Jetzt kommt der Krankenwagen, trotzdem schimpft die Frau. 8. Die Frau schimpft so laut, deswegen können die Sanitäter nicht mit ihr sprechen.

Ü7 (1) so … dass, (2) trotzdem, (3) weil, (4) deshalb, (5) so … dass, (6) denn

Modul 4   Unterwegs in Zürich

Ü2 positiv: einzigartig, unvergessen, humorvoll, fesselnd, spannend, überwältigend, unterhaltsam, umwerfend, vielversprechend, ergreifend, bemerkenswert, erfolgreich, sehenswert, fantastisch, originell
negativ: langweilig, eintönig, monoton, langatmig, geschmacklos, humorlos

Ü3 1. f, 2. r, 3. r, 4. f, 5. r, 6. f, 7. f

Ü4 1. Drama, 2. Schauspieler, 3. Pause, 4. Publikum, 5. Garderobe, 6. Regisseur, 7. Eintrittskarte, Lösungswort: Applaus

Aussprache   Satzakzent

Üa Wenn der Sprecher kein Wort besonders hervorheben will, ist der Satzakzent meist am Ende des Satzes.

Üb 1. gemacht B, 2. Martin D, 3. Nachtwächtertour C, 4. Zürich A

Kapitel 5   Alles will gelernt sein

Wortschatz

Ü1 der Unterrichtsraum, der Unterrichtsstoff, der Stundenplan, der Vertretungsplan, der/die Vertretungslehrer/in, die Klassenarbeit, das Klassenzimmer, der Klassenraum, das Klassenbuch, der/die Klassenlehrer/in, der Sportunterricht, die Sporthalle, die Mathematikarbeit, der Mathematikunterricht, die Mathematikprüfung, das Mathematikbuch, der/die Mathematiklehrer/in, die Abiturprüfung, das Abiturfach, der Abiturstoff, der Schulhof, der Schulunterricht, der/die Schuldirektor/in, das Schulbuch, das Schulfach, der Schulstoff, …

Ü2 1. Musikschule, 2. Abendschule, 3. Tanzschule, 4. Berufsschule, 5. Reitschule, 6. Hundeschule, 7. Fahrschule, 8. Universität, 9. Internat

Ü3 1. üben – lernen, 2. lernen – merken, 3. getestet, 4. erinnern – beizubringen, 5. pauken, 6. Merken,

7. behalten – wiederholen, 8. erklären – verstanden

Ü4a Musterlösung: 1. die neuen Wörter wiederholen/üben/aufschreiben/schreiben, 2. die Hausaufgaben machen, 3. einen Kurzvortrag halten/vorbereiten/schreiben/üben, 4. auf die Fragen des Lehrers antworten, 5. einen Dialog wiederholen/üben/aufschreiben/vorbereiten/schreiben, 6. eine Prüfung wiederholen/schreiben/bestehen/vorbereiten, 7. einen Kurs machen/halten/vorbereiten/wiederholen, 8. ein gutes Zeugnis bekommen, 9. einen Test schreiben/bestehen/vorbereiten/machen/wiederholen, 10. im Diktat viele Fehler machen

Modul 1   Lebenslanges Lernen

Ü1a An wen?: Fachbereichsleiterin für Deutsch als Fremdsprache Frau Linda König
Warum?: Sie können nicht zum Termin kommen.

Ü1b Anrede: Sehr geehrte Frau König,
Schluss: Mit freundlichen Grüßen

Ü1c 3, 6, 7, 9

Ü2 (1) zu, (2) -, (3) -, (4) zu, (5) - , (6) zu, (7) -, (8) -, (9) zu, (10) -

Ü3 Musterlösung: Man sollte am besten einen Zeitplan erstellen. Vergessen Sie nicht, Pausen beim Lernen einzubauen. Es ist empfehlenswert, den Lernstoff in sinnvolle Abschnitte einzuteilen. Man muss einen ruhigen und ungestörten Arbeitsplatz haben. Versuchen Sie, Karteikarten mit den wichtigsten Informationen anzulegen. Nehmen Sie sich Zeit, den Lernstoff in regelmäßigen Abständen zu wiederholen. Es ist notwendig, sich gründlich über die Prüfung zu informieren. Ich rate allen Kandidaten, mit anderen zusammen zu lernen.

Ü4 1. beginne, beabsichtige, 2. ärgert mich, stört mich, 3. höre auf, rate dir ab, 4. empfehle euch, rate euch

Modul 2   Surfst du noch oder lernst du schon?

Ü1 1. der Monitor, 2. die Kamera / die Web-Cam, 3. die externe Festplatte, 4. der Stick, 5. das Headset, 5a das Mikrofon, 5b der Kopfhörer, 6. das Kabel, 7. der Rechner / der Computer, 8. die Lautsprecher, 9. die Tastatur, 10. die Maus

Ü2 den Computer: programmieren, bedienen, einschalten, kaufen, bekommen, runterfahren
im Internet: chatten, neue Leute kennenlernen, Informationen suchen, surfen, bloggen

Lösungen zum Arbeitsbuch

eine Nachricht: kopieren, posten, downloaden, speichern, beantworten, anklicken, bekommen, schreiben, löschen, senden, weiterleiten, lesen

Ü3a 2. Es ist doch bekannt, 3. Meiner Meinung nach, 4. Ein weiterer Aspekt ist, 5. spricht auch, 6. zwar nicht ersetzen, aber

Ü3b 2. Viele Lehrer halten es für falsch, dass …, 3. Ein weiteres Argument dafür ist, dass …, 4. Gegner einer solchen Lösung meinen, dass …, 5. Viele Eltern befürworten es / sind dafür, dass …

Modul 3 Können kann man lernen

Ü1 Musterlösung: 1. Der Montag hatte so gut angefangen, bis ich in die Prüfung gegangen bin. 2. Es war einfach unglaublich, aber mir fiel keine Antwort ein. Ich hatte einen Blackout. 3. Dann allerdings merkten die Prüfer, dass etwas nicht in Ordnung war. 4. Zum Glück haben sie mir geholfen und mich beruhigt. 5. Am Ende sind mir die Antworten wieder eingefallen und ich habe die Prüfung bestanden.

Ü2a Denken Sie daran, dass Sie viel gelernt haben. / Zeigen Sie, was Sie wissen und können. / Fähigkeit, eine positive Einstellung zu entwickeln / Vermeiden Sie negative Gedanken / Schreiben Sie angenehme Aussagen auf und lesen Sie sie immer wieder durch. / Prüfung als Anlass nutzen, sich danach zu belohnen / Verboten sind Szenarien der Angst / Bei Blackout in mündlichen Prüfungen Prüfer über Zustand informieren / Bitten Sie um Wiederholung und nehmen Sie sich Zeit für Antworten. / Wenn in schriftlichen Prüfungen das Herz rast, dann hilft eine gute Atmung. / Lesen Sie alle Aufgaben, erstellen Sie Notizen. Fangen Sie mit der Aufgabe an, bei der Sie sich am sichersten fühlen.

Ü2c 1. können, 2. muss, 3. kann, 4. darf, 5. darf, 6. darf, 7. will, 8. wollen, 9. können

Ü3 1. konnte/durfte, 2. Willst/Möchtest – muss – musstest/solltest/wolltest – habe … können, 3. musste – können, 4. Darf – dürfen, 5. will/möchte, 6. soll, kann – darf/soll/kann

Ü4a 2. Man darf während des Unterrichts nicht essen. 3. Marie will in einem halben Jahr die B2-Prüfung machen. 4. Wenn ich hierbleiben will, muss ich ein neues Visum beantragen.

Ü4b 2. Bist du wirklich in der Lage, die Hausaufgabe von deinem Nachbarn abzuschreiben? … 3. Ich habe keine Lust, diesen Film jetzt zu sehen. 4. Ich habe die Absicht, mir einen deutschen Tandempartner zu suchen, mit dem …

Ü5 1. c, 2. b, 3. a, 4. b

Modul 4 Lernen und Behalten

Ü1 das Gedächtnistraining, die Gedächtnisschwäche, das Zahlengedächtnis, die Gedächtnisstörung, die Gedächtnisleistung, das Personengedächtnis, das Konkurrenzdenken, der Denkvorgang, das Prestigedenken, das Profitdenken, die Denkaufgabe

Ü2 2. d, 3. f, 4. a, 5. h, 6. g, 7. e, 8. c

Ü3a 1. Deutsche Sprache schwere Sprache 2. Warum ist die deutsche Sprache so schwer? 3. Sprachinstitut 4. fortgeschrittene Lerner

Ü3b Dario: 1, 3, 5; Laura: 2, 6, 8; Marta: 4, 7

Aussprache lange und kurze Vokale

Üa 1. Miete – Mitte; 2. Bett – Beet; 3. fühlen – füllen; 4. Ofen – offen; 5. Stadt – Staat; 6. Teller – Täler; 7. Höhle – Hölle

Üc 1, 4, 5

Üd lange Vokale: Haare, Spiel, lesen, Igel, ziehen, Montag, Fliege
kurze Vokale: Wange, Dackel, lachen, Hand, Konto, Klammer, Mann, schnell, spannend, dringend

Kapitel 1   Leute heute

Modul 1   Übung 1

○ Sag mal, was machst du eigentlich, wenn du mit der Ausbildung fertig bist?

● Also, zuerst will ich natürlich ein paar Jahre als Krankenschwester arbeiten, deshalb habe ich die Ausbildung ja auch gemacht. Erst mal hier in Dortmund und dann ein paar Jahre im Ausland, vielleicht in England.

○ Klingt gut.

● Ja, im Ausland leben und arbeiten – den Traum würde ich mir gern erfüllen. Und du? Was für Träume hast du, die du unbedingt realisieren willst?

○ Hm, na ja. Ich würde auch gern ins Ausland gehen, am liebsten nach Frankreich.

● Oh ja, Paris, eine tolle Stadt. Und was willst du da machen?

○ Ein oder zwei Semester studieren. Dann hier mein Studium beenden und vielleicht eine eigene Firma gründen.

● Echt? Was für eine Firma denn?

○ Weiß ich noch nicht. Aber ich will gern mein eigener Chef sein. Ich brauche nur noch eine gute Idee und dann kann ich diesen Traum verwirklichen.

● Mein eigener Chef sein – das finde ich auch gut. Ich hätte ja später irgendwann gerne ein eigenes Café. Klein, gemütlich, mit tollem Kuchen und selbstgemachter Limonade.

○ Ein eigenes Café? Das wollen ja viele. Viele versuchen es ja auch, müssen den Traum dann aber wieder aufgeben. Das ist wahrscheinlich doch schwieriger, als man denkt.

● Na ja, ich bin gespannt, wie alles so ist, wenn wir uns in ein paar Jahren unterhalten. Ob wir alle unsere Träume verwirklicht haben.

○ Ja, ich auch. Vielleicht träumen wir dann auch schon wieder von ganz anderen Dingen …

Aussprache   Übung 1a

1. Hände, 2. Ecke, 3. eilen, 4. heben, 5. herstellen, 6. aus

Aussprache   Übung 1b

1. Ende – Hände, 2. Ecke – Hecke, 3. eilen – heilen, 4. eben – heben, 5. erstellen – herstellen, 6. Haus – aus

Aussprache   Übung 2b

herzhaft, lehren, Johannes, sehen, lebhaft, erheben, Alkohol, unhaltbar, Seehund, ehrlich, wohnen, Frechheit, Gehilfe

Aussprache   Übung 3

Hinter Hermann Hannes Haus hängen hundert Hemden raus.
Zehn zahme Ziegen zogen zehn Zentner Zucker zum Zoo.
Als Anna abends aß, aß Anna abends Ananas.

Kapitel 2   Wohnwelten

Modul 4   Übung 2

○ Hi Theresa, na, wie geht's dir?

● Hallo Sandra. Gut, danke … Ah, ich freu' mich auf einen Kaffee mit Kuchen.

▪ Darf ich Ihnen schon etwas bringen?

○ Ja, sehr gerne. Ich hätte bitte gerne einen Latte Macchiato und einen Apfelkuchen.

● Für mich bitte genau das Gleiche. Danke.

▪ Gerne.

● Und, erzähl. Wie ist es so zu Hause? Ist es zu ruhig, jetzt wo die Kinder ausgezogen sind?

○ Ach, nein, ich finde es herrlich! Du kennst ja den Witz: „Wann ist der Beginn des Lebens? – Wenn die Kinder aus dem Haus sind." Na ja, sie fehlen mir natürlich schon, aber wir telefonieren oft, deshalb geht es gut. Und ich find's toll, dass ich jetzt viel mehr Zeit für mich und Christian habe.

● Na, das ist ja auch wirklich lustig bei euch. Erst wohnen beide Kinder so lange bei euch und dann ziehen sie fast gleichzeitig aus.

○ Ja, das war doch ein bisschen plötzlich. Aber es wurde auch wirklich Zeit. Marcel ist jetzt 30! Und Lea ist auch schon 27. Ehrlich gesagt hab' ich mir schon Sorgen gemacht, dass sie nie auf eigenen Füßen stehen werden.

● Na ja, es war ja auch sehr praktisch für die beiden, bei euch zu Hause im Dachgeschoss zu wohnen. Sie hatten beide ihr großes Zimmer und sogar eine kleine Küche und ein Bad. Eigentlich war das ja fast wie in einer WG.

○ WG mit All-inclusive-Vollverpflegung, Reinigungsservice und Wäschedienst. Alles wurde gemacht. Und die Küche da oben, die haben sie eh nie benutzt.

● Ja, die hatten es echt gut bei euch.

○ Ja, das hab' ich mir auch oft gedacht. Aber ich wollte sie ja auch nicht rauswerfen. Wir haben uns schon prima verstanden. Wenn ich da andere Familien sehe … Da ziehen die Kinder mit 17 aus und reden nicht mehr mit ihren Eltern. Dann doch lieber zwei Nesthocker.

● Stimmt. Aber warum nun der plötzliche Sinneswandel bei den beiden?

○ Tja, rate mal: Marcel hat eine Freundin – die ist wirklich sehr nett. Und da wollte er dann doch nicht mehr bei der Mama wohnen.

● Und, macht sie ihm jetzt die Wäsche und kocht für ihn?

○ Hm, ich glaube nicht. Sie ist voll berufstätig und ich glaube, da muss er schon auch was im Haushalt machen. Anscheinend macht er das sogar ganz gut und gern. Ich kann's mir ja nicht so recht vorstellen … Ja, ja, die Liebe … Und Lea ist ausgezogen, weil sie von ihrer Firma für zwei Jahre nach Zürich versetzt worden ist.

● Und glaubst du, sie kommt danach wieder zu euch zurück?

○ Nein, das glaube ich nicht. Sie ist so glücklich in ihrer kleinen Wohnung. Das gefällt ihr schon sehr gut, dass sie jetzt ihr eigenes Zuhause hat. Aber sag mal, was macht denn dein Sohn jetzt eigentlich?

Aussprache Übung a

○ Hallo, jemand zu Hause?

● Hallo … Küche!

○ Alles okay? Du siehst so genervt aus.

● Ach, ich hab' mich wieder aufgeregt wegen Benni.

○ Was hat er denn wieder angestellt?

● Angestellt? Wie sich das anhört. Er ist doch kein Kind mehr.

○ Na ja, das sollte man annehmen … mit 23.

● Du sagst es … Er ist 23 und ich muss ihn immer noch bitten, aufzuräumen und nicht alles herumliegen zu lassen.

○ Ich habe gerade gestern mit ihm darüber gesprochen.

● Es hilft aber nichts. Er kommt auch nicht auf die Idee, den Einkauf zu übernehmen.

○ Geschweige denn, dass er auch mal ein bisschen Geld dazugibt.

● Ist das ein Witz? Gestern hat er sich erst fünfzig Euro von mir geliehen.

○ Ich habe mir das auch anders vorgestellt nach seinem Abitur.

● Haben wir ihn zu sehr verwöhnt?

○ Vielleicht. Ich finde, er sollte sich mal entscheiden, ob er auszieht oder nicht.

● Also, ich habe jedenfalls keine Lust mehr auf Hotel Mama.

○ Und Hotel Papa kann er auch vergessen!

Aussprache Übung b

aufregen – anstellen – anhören – annehmen – aufräumen – herumliegen – dazugeben – vorstellen – ausziehen

Kapitel 3 Wie geht´s denn so?

Modul 4 Übung 3a

Toni, 35, 2 Kinder, verheiratet

Ach, wissen Sie, mir wird das alles oft zu viel. Jeden Tag das Gleiche. Es ist 14 Uhr und ich muss die Kinder abholen. Aber ich komme einfach nicht pünktlich von der Arbeit weg. Ich bin nie fertig. Ich arbeite zwar halbtags, habe aber Arbeit für den ganzen Tag. Dann hetze ich zum Kindergarten, da warten die Kinder auch schon. Zusammen müssen wir meistens noch einkaufen, dann gehen wir nach Hause. Aufräumen, waschen, kochen und gegen fünf kommt meine Frau. Wir essen zusammen und ich schlafe meistens vor dem Fernseher ein. Und ich habe immer ein schlechtes Gewissen, weil ich gar keine Zeit für die Kinder habe. Meistens bin ich so genervt, dass ich sie schon bei Kleinigkeiten anmecker'. Aber meine Frau arbeitet Vollzeit, die kann mir auch nichts abnehmen. So geht das echt nicht weiter!

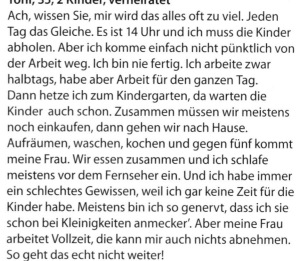

Maja, 29, ledig

Letztes Jahr habe ich mit meiner Freundin Lina eine Firma gegründet: ökologische Spielsachen und Kleidung für Kinder. Die Firma läuft schon ganz gut. Aber ich muss so viel arbeiten und hab' gar keine Freizeit mehr. Die Aufträge, die Bestellungen, die Homepage bearbeiten … und dann auch noch nett zu den Kunden sein. Das kostet meine ganze Kraft. Und dann doch immer die Sorgen um das Geld. Diesen Monat reicht es, aber nächsten Monat? So langsam, aber sicher bin ich am Ende. Und jetzt haben Lina und ich auch noch Streit. Sie will mit mehr Aktionen und Sonderangeboten arbeiten. Aber wir haben bisher noch gar nicht so viel verdient, dass wir Geld dafür ausgeben könnten. Und ich soll auch noch die ganze Werbung machen. Oh Mann!

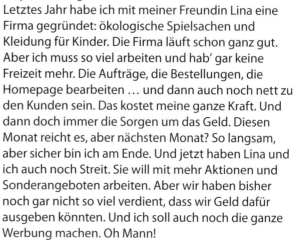

Aussprache Übung 1a und b

1. Kissen, 2. Kiel, 3. spülen, 4. liegen, 5. Münze, 6. fühlen, 7. Tier, 8. vier, 9. Bühne, 10. Kiste, 11. Züge

Aussprache Übung 1c

1. Kissen – küssen, 2. Kiel – kühl, 3. spielen – spülen, 4. lügen – liegen, 5. Münze – Minze, 6. fielen – fühlen, 7. Tür – Tier, 8. für – vier, 9. Bühne – Biene, 10. Küste – Kiste, 11. Züge – Ziege

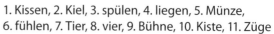

Aussprache Übung 2b

14

1. Buch – Bücher, 2. Strumpf – Strümpfe, 3. Gruß – Grüße, 4. Tuch – Tücher, 5. Zug – Züge, 6. Fluss – Flüsse, 7. Mutter – Mütter, 8. Hut – Hüte

Kapitel 4 Viel Spaß!

Modul 4 Übung 3

15

○ Hey, hallo Rana!

● Hallo Simon, wie geht's?

○ Gut, danke, und dir?

● Bei mir ist alles okay soweit. Hab' ein ziemlich schönes Wochenende gehabt.

○ Ach ja? Was hast du denn gemacht?

● Ja, war im Kino und so. Das Lustige war, dass es ein Überraschungsabend war. Iris hat mir das vor ein paar Monaten zu meinem Geburtstag geschenkt. Und am Wochenende habe ich das Geschenk dann endlich eingelöst. Das war echt aufregend!

○ Und? Was habt ihr angesehen?

● Ja, warte, immer schön der Reihe nach! Also, erst waren wir im Park spazieren – wir haben uns schon um fünf getroffen. Dann sind wir sehr lecker Essen gegangen, in dem neuen Lokal direkt neben der Hauptpost. Das war wirklich super! Kennst du das?

○ Ja, ich war auch schon mal da, hat mir auch sehr gut gefallen.

● Und dann sind wir zum Kino gegangen. Da haben dann auch noch vier andere Freundinnen auf uns gewartet, das war noch mal eine Extra-Überraschung!

○ Ja, das glaube ich! Wer war denn alles dabei?

● Luisa, Clara, Franziska und Amelie.

○ Wer ist denn Amelie?

● Ach, das ist eine Freundin von Franziska. Sie kommt aus Paris und studiert dort an der Universität Germanistik. Sie will später mal Deutschlehrerin werden.

○ Und welchen Film habt ihr dann angesehen?

● Das glaubst du nicht: den neuen James Bond.

○ Was? Sechs Mädels gehen ins Kino und sehen James Bond?!

● Ja! Zuerst habe ich mir auch gedacht: „Na toll! Das ist ja eine super Idee!" Eigentlich mag ich solche Filme nicht so gerne. Ich mag lieber Komödien oder auch Dramen.

○ Ach, ich nicht. Ich sehe mir schon gerne mal Actionfilme an. Und wie fandest du ihn jetzt, den Film?

● Super! Ich hab' mich sowas von amüsiert! Vielleicht auch, weil ich schon so lange nicht mehr im Kino war. Aber ich fand den Film wirklich gut gemacht,

das war klasse Unterhaltung. Der Schauspieler ist eh cool und die Musik hat mir auch sehr gut gefallen. Die anderen waren auch alle ganz begeistert.

○ Und nach dem Film?

● Ja, dann wurde es noch besser. Wir sind in eine Bar gegangen. Da war auch Livemusik und die haben Samba und Salsa gespielt.

○ Oh, das ist ja genau das Richtige für dich!

● Ja, genau. Und dann war da so ein Paar, die haben so hervorragend getanzt. Ich habe mir ganz genau angesehen, wie die tanzen.

○ Und dann?

● Na, dann fragt mich der Typ doch tatsächlich, ob ich auch tanzen möchte. „Oh je", hab' ich gedacht. Ich tanze ja gerne, aber der Typ war ein Profi, das hab' ich gleich gesehen! Und so viele Leute haben ihm und seiner Partnerin zugeschaut … und dann haben alle auf mich geschaut. Puuuh, da war ich echt nervös! Aber irgendwie hat er mich überredet und dann ging es richtig gut. Er konnte so gut führen, das war wirklich ein Traum.

○ Und haben alle auf euch geschaut?

● Ja, meine Freundinnen natürlich sowieso, aber auch die anderen. Aber wie gesagt, es hat wunderbar geklappt! Er hat mir dann erzählt, dass er eine Tanzschule hat und Tanzlehrer ist. Kein Wunder also!

○ Und? Hat er dich gleich zu einem Tanzkurs eingeladen?

● Na ja, ein bisschen Werbung hat er natürlich schon gemacht. Ich weiß noch nicht, vielleicht mache ich einen Kurs. Er war nämlich echt nett und konnte wirklich perfekt tanzen.

○ So so …

● Sag mal, hättest du nicht Lust, einen Salsa-Tanzkurs zu machen?

○ Ich?? Ähm, ich weiß nicht so … Du, ich muss jetzt auch los, kann ich mir das noch mal überlegen?

● Klar, überleg es dir in Ruhe – macht echt Spaß. Wir könnten auch einfach mal eine Probestunde machen, dann siehst du ja, ob es dir gefällt.

○ O. k., das machen wir. Tschüss, ich ruf dich an.

● Ciao!

Aussprache Übung a

16

1. Er geht gern ins Theater. 2. Ich habe Lust auf Kino. 3. Wir gehen abends essen.

Aussprache Übung b

17

1. Hat Martin die Nachtwächtertour in Zürich **gemacht**? 2. Hat **Martin** die Nachtwächtertour in Zürich gemacht? 3. Hat Martin die **Nachtwächtertour** in Zürich gemacht? 4. Hat Martin die Nachtwächtertour in **Zürich** gemacht?

Kapitel 5   Alles will gelernt sein

Modul 4   Übung 3a

„Deutsche Sprache – schwere Sprache", meinen selbst Deutsche, wenn sie merken, wie kompliziert ihre eigene Sprache ist. Doch was sind die Gründe dafür? Dieser Frage wollen wir uns heute in unserer Sendung „Nachgehakt" widmen. Und wer könnte diese Frage besser beantworten als Menschen, die diese Sprache gerade lernen? Ich bin heute in einem Sprachinstitut, um einige Lerner zu befragen. An diesem Institut lernen vor allem Fortgeschrittene, d. h. Menschen, die bereits einige Erfahrung mit der deutschen Sprache gesammelt haben. Wir können also gespannt sein …

Modul 4   Übung 3b

○ Entschuldigung, darf ich Sie etwas fragen? Sprechen Sie Deutsch?

● Ja, natürlich. Ich lerne schon lange diese Sprache, aber die Frage ist, wann ich sie endlich perfekt kann.

○ Was ist denn für Sie so schwierig am Deutsch-lernen?

● Also, wenn ich ehrlich bin, könnte ich da sofort einige Dinge aus der Grammatik aufzählen. Das Schlimmste sind für mich die Verben.

○ Was ist denn daran so schlimm?

● Na, die vielen Präfixe oder Vorsilben. Die Deut-schen nehmen einfach nur ein Präfix und setzen es vor ein Verb und schon hat man ein neues Wort. Nehmen Sie zum Beispiel das Verb *gehen*. Damit können Sie sehr viele neue Verben bilden: ausgehen, aufgehen, umgehen, vorgehen, durchgehen, untergehen … usw. Der arme Aus-länder aber hört nur *gehen* und soll sich schnell die richtige Bedeutung aussuchen. Und bei diesen Verben kommt es noch schlimmer. Nicht nur dass man vor die Verben ein kleines Wort setzt, nein, im Satz muss man es wieder auseinanderreißen: Das Verb steht irgendwo vorn, das kleine Wort irgendwo hinten. Da muss man sich sehr konzen-trieren, wenn man spricht. Und es gibt auch noch trennbare und untrennbare …

○ Oje, Sie haben recht. Deutsch ist wirklich nicht so einfach. Vielen Dank für Ihren Beitrag.

○ Und Sie? Sie sind hier interessiert stehen geblie-ben. Wie gut ist denn Ihr Deutsch?

● Schon ganz gut. Ich bin ja auch schon seit ein paar Monaten in Deutschland. Ich komme aus Italien und habe dort schon Deutsch gelernt. Deutsch ist meine zweite Fremdsprache. Ich finde, dass Deutschlernen viel einfacher ist, wenn man andere Sprachen kann, besonders Englisch.

○ Warum denn das?

● Weil es im Deutschen viele Wörter gibt, die ähnlich wie im Englischen sind.

○ Aha … Dann war Deutsch für Sie also gar nicht so schwer?

● Nicht besonders, allerdings hatte ich am Anfang große Probleme mit der Aussprache. Aber die ist zum Glück durch ständiges Training besser gewor-den. Ausspracheübungen sind wirklich sehr wichtig.

○ Vielen Dank.

○ Und Sie, darf ich Sie auch fragen, was für Sie beim Deutschlernen schwierig ist?

● Ich finde den Artikel schwierig. Wie soll man den lernen? Im Deutschen gibt es *der, die, das*: masku-lin, feminin, neutral. Bei uns im Spanischen haben wir nur zwei Artikel. Außerdem haben viele Wörter im Spanischen einen anderen Artikel als im Deut-schen: Der Mond ist zum Beispiel im Spanischen feminin, der Tisch auch.

○ Und wie haben Sie die deutschen Artikel gelernt?

● Ich hatte da ein paar Lernhilfen. Ich bin beim Ler-nen sehr visuell. Deswegen arbeite ich viel mit Far-ben. Rot ist für mich feminin, blau maskulin und grün neutral. Wenn ich neue Wörter auf meine Wörterliste schreibe, dann notiere ich die Nomen genau in diesen Farben. Wenn ich die Augen schließe, dann sehe ich die Farbe, in der ich die Nomen geschrieben habe, und so weiß ich den Artikel.

○ Das ist eine tolle Idee!
Liebe Hörerinnen und Hörer, Sie sehen „Deutsche Sprache, schwere Sprache". Aber mit ein paar Tipps geht vieles leichter, auch das Deutschlernen. Deswegen haben wir für Sie auch Tipps zum er-folgreichen Sprachenlernen auf unserer Home-page, wenn Sie auf …

Aussprache Übung a

22 1. Miete – Mitte, 2. Bett – Beet, 3. fühlen – füllen,
4. Ofen – offen, 5. Stadt – Staat, 6. Teller – Täler,
7. Höhle – Hölle

Aussprache Übung b

23 Miete – [iː] – Miete
Mitte – [i] – Mitte
Bett – [ɛ] – Bett
Beet – [eː] – Beet
fühlen – [yː] – fühlen
füllen – [y] – füllen
Ofen – [oː] – Ofen
offen – [ɔ] – offen
Stadt – [a] – Stadt
Staat – [aː] – Staat
Teller – [ɛ] – Teller
Täler – [ɛː] – Täler
Höhle – [øː] – Höhle
Hölle – [œ] – Hölle

Aussprache Übung d

24 Haare, Wange, Dackel, Spiel, lesen, lachen, Hand,
Konto, Klammer, Igel, Mann, ziehen, Montag, schnell,
spannend, Fliege, dringend

Audio-CD zum Arbeitsbuch

Track	Modul, Aufgabe	Länge
1	Vorspann	0:17
	Kapitel 1, Leute heute	
2	Modul 1, Übung 1	1:41
3	Aussprache, Übung 1a	0:36
4	Aussprache, Übung 1b	1:20
5	Aussprache, Übung 2b	1:41
6	Aussprache, Übung 3	0:22
	Kapitel 2, Wohnwelten	
7	Modul 4, Übung 2	3:07
8	Aussprache, Übung a	1:22
9	Aussprache, Übung b	1:04
	Kapitel 3, Wie geht's denn so?	
10	Modul 4, Übung 3a Toni	1:09
11	Maja	0:53
12	Aussprache, Übung 1a und b	0:51
13	Aussprache, Übung 1c	1:42
14	Aussprache, Übung 2b	1:08

Track	Modul, Aufgabe	Länge
	Kapitel 4, Viel Spaß!	
15	Modul 4, Übung 3	3:56
16	Aussprache, Übung a	0:26
17	Aussprache, Übung b	0:45
	Kapitel 5, Alles will gelernt sein	
18	Modul 4, Übung 3a	0:54
19	Modul 4, Übung 3b Dario	1:28
20	Laura	0:48
21	Marta	1:36
22	Aussprache, Übung a	0:45
23	Aussprache, Übung b	2:36
24	Aussprache, Übung d	2:02

Sprecherinnen und Sprecher:
Ulrike Arnold, Olga Balboa, Simone Brahmann, Farina Brock, Vincent Buccarello, Walter von Hauff, Lena Kluger, Detlef Kügow, Nikola Lainović, Verena Rendtorff, Jakob Riedl, Annalisa Scarpa-Diewald, Marc Stachel, Peter Veit, Gisela Weiland
Schnitt und Postproduktion: Christoph Tampe
Studio: Plan 1, München

Unregelmäßige Verben

Infinitiv	Präsens	Präteritum	Perfekt
aufstehen	steht auf	stand auf	ist aufgestanden
ausziehen	zieht aus	zog aus	hat/ist ausgezogen
backen	backt/bäckt	backte	hat gebacken
sich befinden	befindet sich	befand sich	hat sich befunden
beginnen	beginnt	begann	hat begonnen
begreifen	begreift	begriff	hat begriffen
behalten	behält	behielt	hat behalten
beißen	beißt	biss	hat gebissen
bekommen	bekommt	bekam	hat bekommen
betreiben	betreibt	betrieb	hat betrieben
betrügen	betrügt	betrog	hat betrogen
sich beziehen	bezieht sich	bezog sich	hat sich bezogen
biegen	biegt	bog	hat gebogen
bieten	bietet	bot	hat geboten
binden	bindet	band	hat gebunden
bitten	bittet	bat	hat gebeten
bleiben	bleibt	blieb	ist geblieben
braten	brät	briet	hat gebraten
brechen	bricht	brach	hat gebrochen
brennen	brennt	brannte	hat gebrannt
bringen	bringt	brachte	hat gebracht
denken	denkt	dachte	hat gedacht
dürfen	darf	durfte	hat dürfen/gedurft
eindringen	dringt ein	drang ein	ist eingedrungen
einfallen	fällt ein	fiel ein	ist eingefallen
einladen	lädt ein	lud ein	hat eingeladen
einschlafen	schläft ein	schlief ein	ist eingeschlafen
einziehen	zieht ein	zog ein	ist eingezogen
empfangen	empfängt	empfing	hat empfangen
empfehlen	empfiehlt	empfahl	hat empfohlen
empfinden	empfindet	empfand	hat empfunden
entlassen	entlässt	entließ	hat entlassen
entscheiden	entscheidet	entschied	hat entschieden
sich entschließen	entschließt sich	entschloss sich	hat sich entschlossen
entsprechen	entspricht	entsprach	hat entsprochen

Infinitiv	Präsens	Präteritum	Perfekt
entstehen	entsteht	entstand	ist entstanden
erfahren	erfährt	erfuhr	hat erfahren
erfinden	erfindet	erfand	hat erfunden
erhalten	erhält	erhielt	hat erhalten
erkennen	erkennt	erkannte	hat erkannt
erscheinen	erscheint	erschien	ist erschienen
erziehen	erzieht	erzog	hat erzogen
essen	isst	aß	hat gegessen
fahren	fährt	fuhr	ist gefahren
fallen	fällt	fiel	ist gefallen
fangen	fängt	fing	hat gefangen
finden	findet	fand	hat gefunden
fliegen	fliegt	flog	ist geflogen
fliehen	flieht	floh	ist geflohen
fließen	fließt	floss	ist geflossen
fressen	frisst	fraß	hat gefressen
frieren	friert	fror	hat gefroren
geben	gibt	gab	hat gegeben
gefallen	gefällt	gefiel	hat gefallen
gehen	geht	ging	ist gegangen
gelingen	gelingt	gelang	ist gelungen
gelten	gilt	galt	hat gegolten
genießen	genießt	genoss	hat genossen
geraten	gerät	geriet	ist geraten
geschehen	geschieht	geschah	ist geschehen
gewinnen	gewinnt	gewann	hat gewonnen
gießen	gießt	goss	hat gegossen
greifen	greift	griff	hat gegriffen
haben	hat	hatte	hat gehabt
halten	hält	hielt	hat gehalten
hängen	hängt	hing	hat gehangen
heben	hebt	hob	hat gehoben
heißen	heißt	hieß	hat geheißen
helfen	hilft	half	hat geholfen
hinweisen	weist hin	wies hin	hat hingewiesen

Unregelmäßige Verben

Infinitiv	Präsens	Präteritum	Perfekt
kennen	kennt	kannte	hat gekannt
klingen	klingt	klang	hat geklungen
können	kann	konnte	hat können/gekonnt
kommen	kommt	kam	ist gekommen
laden	lädt	lud	hat geladen
lassen	lässt	ließ	hat gelassen
laufen	läuft	lief	ist gelaufen
leiden	leidet	litt	hat gelitten
leihen	leiht	lieh	hat geliehen
lesen	liest	las	hat gelesen
liegen	liegt	lag	hat gelegen
lügen	lügt	log	hat gelogen
messen	misst	maß	hat gemessen
mögen	mag	mochte	hat mögen/gemocht
müssen	muss	musste	hat müssen/gemusst
nehmen	nimmt	nahm	hat genommen
nennen	nennt	nannte	hat genannt
reiben	reibt	rieb	hat gerieben
reiten	reitet	ritt	ist geritten
rennen	rennt	rannte	ist gerannt
riechen	riecht	roch	hat gerochen
rufen	ruft	rief	hat gerufen
scheinen	scheint	schien	hat geschienen
schieben	schiebt	schob	hat geschoben
schießen	schießt	schoss	hat geschossen
schlafen	schläft	schlief	hat geschlafen
schlagen	schlägt	schlug	hat geschlagen
schleichen	schleicht	schlich	ist geschlichen
schließen	schließt	schloss	hat geschlossen
schmeißen	schmeißt	schmiss	hat geschmissen
schneiden	schneidet	schnitt	hat geschnitten
schreiben	schreibt	schrieb	hat geschrieben
schreien	schreit	schrie	hat geschrien
schweigen	schweigt	schwieg	hat geschwiegen
schwimmen	schwimmt	schwamm	ist geschwommen

Infinitiv	Präsens	Präteritum	Perfekt
sehen	sieht	sah	hat gesehen
sein	ist	war	ist gewesen
senden	sendet	sendete/sandte	hat gesendet/gesandt
singen	singt	sang	hat gesungen
sinken	sinkt	sank	ist gesunken
sitzen	sitzt	saß	hat gesessen
sollen	soll	sollte	hat sollen/gesollt
sprechen	spricht	sprach	hat gesprochen
springen	springt	sprang	ist gesprungen
stechen	sticht	stach	hat gestochen
stehen	steht	stand	hat gestanden
stehlen	stiehlt	stahl	hat gestohlen
steigen	steigt	stieg	ist gestiegen
sterben	stirbt	starb	ist gestorben
stoßen	stößt	stieß	hat gestoßen
streichen	streicht	strich	hat gestrichen
streiten	streitet	stritt	hat gestritten
tragen	trägt	trug	hat getragen
treffen	trifft	traf	hat getroffen
treten	tritt	trat	hat/ist getreten
trinken	trinkt	trank	hat getrunken
tun	tut	tat	hat getan
übertreiben	übertreibt	übertrieb	hat übertrieben
sich unterhalten	unterhält sich	unterhielt sich	hat sich unterhalten
unternehmen	unternimmt	unternahm	hat unternommen
unterscheiden	unterscheidet	unterschied	hat unterschieden
verbieten	verbietet	verbot	hat verboten
verbinden	verbindet	verband	hat verbunden
verbringen	verbringt	verbrachte	hat verbracht
vergessen	vergisst	vergaß	hat vergessen
vergleichen	vergleicht	verglich	hat verglichen
verlassen	verlässt	verließ	hat verlassen
verlieren	verliert	verlor	hat verloren
vermeiden	vermeidet	vermied	hat vermieden
verraten	verrät	verriet	hat verraten

Unregelmäßige Verben

Infinitiv	Präsens	Präteritum	Perfekt
verschieben	verschiebt	verschob	hat verschoben
verschwinden	verschwindet	verschwand	ist verschwunden
versprechen	verspricht	versprach	hat versprochen
verstehen	versteht	verstand	hat verstanden
verzeihen	verzeiht	verzieh	hat verziehen
vorhaben	hat vor	hatte vor	hat vorgehabt
vorkommen	kommt vor	kam vor	ist vorgekommen
vorschlagen	schlägt vor	schlug vor	hat vorgeschlagen
vortragen	trägt vor	trug vor	hat vorgetragen
wachsen	wächst	wuchs	ist gewachsen
waschen	wäscht	wusch	hat gewaschen
werben	wirbt	warb	hat geworben
werden	wird	wurde	ist worden/geworden
werfen	wirft	warf	hat geworfen
wiegen	wiegt	wog	hat gewogen
wissen	weiß	wusste	hat gewusst
wollen	will	wollte	hat wollen/gewollt
ziehen	zieht	zog	hat/ist gezogen
zugeben	gibt zu	gab zu	hat zugegeben
zwingen	zwingt	zwang	hat gezwungen

abraten	Ich rate dir vom Kauf ab.
ähneln	Das Baby ähnelte dem Vater sehr.
antworten	Bitte antworten Sie mir so schnell wie möglich.
auffallen	Mir fällt auf, dass er jetzt immer pünktlich ist.
ausweichen	Der Radfahrer konnte dem Fußgänger gerade noch ausweichen.
begegnen	Jeden Morgen begegne ich Herrn Müller.
beistehen	Meine Eltern stehen mir immer bei.
beitreten	Sie können unserem Sportverein gerne beitreten.
bekommen	Das Essen ist mir überhaupt nicht bekommen.
danken	Ich danke Ihnen für Ihr Verständnis.
dienen	Das Treffen dient dem gegenseitigen Kennenlernen.
drohen	Ihm droht die Kündigung, wenn er so weitermacht.
einfallen	Mir fällt einfach nichts ein.
entfallen	Mir ist sein Name entfallen.
fehlen	Du fehlst mir so sehr!
folgen	Bitte folgen Sie mir unauffällig.
gefallen	Das Konzert gestern hat mir super gefallen.
gehören	Das Buch gehört mir.
gelingen	Dieser Kuchen gelingt mir immer besonders gut.
genügen	Diese Antwort genügt mir nicht.
gratulieren	Wir gratulieren dir ganz herzlich zum Geburtstag!
helfen	Ich helfe dir gerne bei den Vorbereitungen für die Party.
kündigen	Wir kündigen Ihnen hiermit zum nächstmöglichen Zeitpunkt.
leichtfallen	Wörterlernen ist mir immer leichtgefallen.
leidtun	Es tut mir wirklich leid, dass ich schon wieder zu spät bin.
missfallen	Mir missfällt, wie Sie mit mir sprechen.
misslingen	Der Kuchen ist mir leider misslungen.
nützen	Diese Information nützt mir rein gar nichts.
passen	Der Anzug passt mir wie angegossen.
schaden	Ein bisschen mehr zu lernen, würde dir gar nicht schaden.
schmecken	Schmeckt dir die Suppe nicht?
schwerfallen	Es fällt mir oft schwer, mich zu konzentrieren.
stehen	Der Mantel steht dir ausgezeichnet.
tun	Was habe ich dir getan?
vertrauen	Meinem besten Freund kann ich immer vertrauen.
widersprechen	Da muss ich Ihnen wirklich widersprechen.
zuhören	Könnten Sie mir bitte mal zuhören?
zustimmen	Da kann ich dir nur zustimmen.

Verben mit Dativ und Akkusativ

anbieten	Wir bieten Ihnen eine gute Stelle in unserem Unternehmen an.
auffallen	Ist Ihnen etwas Besonderes aufgefallen?
beschreiben	Ich beschreibe dir den Weg zum Bahnhof.
bestätigen	Bitte bestätigen Sie mir die Reservierung.
bieten	Die Reinigung bietet Ihnen einen guten Service.
borgen	Kannst du mir mal 20 Euro borgen?
bringen	Bringst du mir bitte mal meine Brille?
empfehlen	Ich empfehle Ihnen das neueste Modell.
entziehen	Die Polizei hat ihm die Fahrerlaubnis entzogen.
erklären	Mama, erklärst du mir die Mathehausaufgaben?
erlauben	Ich erlaube meinen Kindern viel.
erleichtern	Ihre Hilfe erleichtert mir die Umstellung.
ermöglichen	Ein Stipendium hat mir diesen Auslandsaufenthalt ermöglicht.
erzählen	Das hat er mir selbst erzählt.
geben	Ich gebe dir 20 Euro.
gestatten	Bitte gestatten Sie mir einen Besuch in Ihrer Abteilung.
glauben	Nach so vielen Lügen kann ich dir einfach nichts mehr glauben.
leihen	Ich leihe dir meinen Toaster.
liefern	Ihnen wird heute ein Kaffeeservice geliefert.
mitteilen	Bitte teilen Sie mir Ihre Kontonummer mit.
nennen	Können Sie mir bitte die Gründe für die Reklamation nennen?
präsentieren	Heute präsentiere ich Ihnen unsere neue Kollektion.
schenken	Ich schenke meinem Opa eine Tasse zum Geburtstag.
schicken	Ich schicke meiner Kollegin oft E-Mails.
schreiben	Mein Freund schreibt mir viele SMS.
schulden	Du schuldest mir noch 20 Euro.
senden	Ich sende dir ein Päckchen zu Weihnachten.
servieren	Heute servieren wir Ihnen eine Suppe vom Rind.
spenden	Eine ältere Dame hat ihr Vermögen einem Verein gespendet.
verbieten	Ich verbiete dir den Umgang mit Josef.
verdanken	Der Verletzte verdankte dem Arzt sein Leben.
verheimlichen	Diesen Vorfall hat sie mir verheimlicht.
verkaufen	Der Metzger verkauft seinen Kunden Fleisch und Wurst.
vermitteln	Du vermittelst mir immer das Gefühl, faul zu sein.
verraten	Ich verrate Ihnen ein Geheimnis : …
verschweigen	Ich verschweige meinem Freund nichts.
versprechen	Ich verspreche Ihnen viele Verbesserungen.
verzeihen	Ich verzeihe meinem Mann alles.
vorlesen	Die Oma liest ihren Enkeln eine Geschichte vor.
vorschlagen	Ich schlage Ihnen Folgendes vor: …
wegnehmen	Max nahm seiner Schwester das Spielzeug weg.
wiedergeben	Gib mir sofort meinen Kuli wieder.
wünschen	Ich wünsche Ihnen gute Besserung.
zeigen	Hier zeige ich Ihnen die neueste Erfindung aus Amerika.
zuordnen	Welchem Absatz können Sie diese Überschrift zuordnen?
zurückbringen	Bringst du mir morgen mein Buch zurück?

S. 8	1, 3 Dieter Mayr; 2 shutterstock.com
S. 9	4 Zurijeta – shutterstock.com; 5 AFP – Getty Images; 6 Reena – Fotolia.com
S. 10	A shutterstock.com; B WavebreakmediaMicro – Fotolia.com; C LVDESIGN – Fotolia.com
S. 12	oben: Diego Cervo – Fotolia.com; Mitte: Trost dalaprod – Fotolia.com; unten: daniel-jeschke.de – Fotolia.com
S. 14	A Hulton Archive Apic – Getty Images; B Popperfoto – Getty Images; C Popperfoto Rolls Press – Getty Images; D UIG Religious Images – Getty Images; unten: schwede-photodesign – Fotolia.com
S. 15	Jeanette Dietl – Fotolia.com
S. 16	Rabe: shutterstock.com; Hufeisen: iofoto – shutterstock.com; Billardkugel: tescha555 – shutterstock.com; Kleeblatt: Le Do – shutterstock.com; Schornsteinfeger: Reena – Fotolia.com; Katze: shutterstock.com; Hand der Fatima: Helen Schmitz; Sternschnuppe: clearviewstock – shutterstock.com; Winkekatze: J. Helgason – shutterstock.com; Drachen: Hong Kong Tourist Association; Schweine: Elena Schweitzer – shutterstock.com; Spinne: Jacob Hamblin – shutterstock.com
S. 19	Dieter Mayr
S. 20	Fragebogen: Anne-Sophie Mutter (gekürzt); Foto: Harald Hoffmann/DG
S. 22/23	ZDF 37° „Die Chefin" Lizenz durch www.zdf-archive.com / ZDF Enterprises GmbH – Alle Rechte vorbehalten.
S. 23	Bayerischer Rundfunk www.br-online.de (gekürzt)
S. 24	1 Margo – Fotolia.com; 2 etfoto – Fotolia.com; 3 Eskimo71 – Fotolia.com
S. 25	4 traveldia – Fotolia.com; 5 Peter Cade – Getty Images; 6 Quartierhof Weinegg
S. 28	links: Joerg Lantelmè; rechts: Caro Fotoagentur
S. 30	A: Planetpix – Alamy; B: Doris Stierner – Schmitterhof; C: www.hotelsuites.nl
S. 31	Horizons WWP / Jochem Wijnands – Alamy
S. 32	aus www.planet-wissen.de. Originaltitel: Hotel Mama (17.09.2004), © Silke Rehren/WDR (adaptiert)
S. 33	von links nach rechts: Creativemarc – Fotolia.com; Ahturner – shutterstock.com; LosRobsos – Fotolia.com
S. 35	oben: Dan Race – Fotolia.com; Mitte: Dieter Mayr; unten: Sibylle Freitag
S. 36	oben: Gemälde von Ferdinand von Piloty (1828–1895); Mitte: shutterstock.com; Text rechts: www.lueckundlocke.de
S. 38/39	ZDF 37° „Hotel Mama" Lizenz durch www.zdf-archive.com / ZDF Enterprises GmbH – Alle Rechte vorbehalten.
S. 42	1 ANCH – shutterstock.com; 3 infografick – shutterstock.com; 4 shutterstock.com; Text: Wissenswertes rund um die Schokolade. Aus: Öko-Test 11/2005 (adaptiert, gekürzt)
S. 43	Helen Schmitz
S. 44	von oben nach unten: monticello – shutterstock.com; Lisa S. – shutterstock.com; gcpics – shutterstock.com; Olga Balboa
S. 45	oben: Aktion „Zu gut für die Tonne" des Bundesministeriums für Ernährung, Landwirtschaft und Verbraucherschutz; unten: Aktion „Teller statt Tonne" © Slow Food Deutschland
S. 46	Dieter Mayr
S. 48	oben und unten links: shutterstock.com; oben rechts: CandyBox Images – Fotolia.com; unten rechts: prodakszyn – shutterstock.com; Mitte: Willem Bosman – shutterstock.com
S. 49	Willem Bosman – shutterstock.com
S. 50	oben links: shutterstock.com; oben rechts: cristovao – shutterstock.com; unten links: WavebreakmediaMicro – Fotolia.com; unten rechts: auremar – Fotolia.com
S. 51	Picture-Factory – Fotolia.com
S. 52	Text (adaptiert und gekürzt) und Fotos: Chocoladefabriken Lindt & Sprüngli AG
S. 54/55	„Schmecken" Lizenz durch www.zdf-archive.com / ZDF Enterprises GmbH – Alle Rechte vorbehalten.
S. 56	1 Kzenon – Fotolia.com; 2 Lonely Planet Images Izzet Keribar – Getty Images; 3 lightpoet – Fotolia.com; 4 Photolibrary Yadid Levy – Getty Images
S. 57	5, 7 shutterstock.com; 6 Ferenc Szelepcsenyi – shutterstock.com
S. 58	dpa Picture-Alliance GmbH
S. 60	oben von links nach rechts: Andre Bonn – shutterstock.com; Yeko Photo Studio – shutterstock.com; Shvaygert Ekaterina – shutterstock.com; unten: Gabriela Insuratelu – shutterstock.com
S. 61	Monkey Business Images – shutterstock.com
S. 62	links: Helen Schmitz; rechts: Marianne Mayer – Fotolia.com
S. 64	Celeste Clochard – Fotolia.com
S. 65	Tellux-Film GmbH
S. 66	oben: De Agostini Picture Library – Getty Images; unten: Maurizius Staerkle-Drux
S. 67	Sophie Stieger
S. 68	links: Ulrich Baumgarten – Getty Images; rechts: Diogenes Verlag AG, Zürich
S. 70	oben: The Photos – Fotolia.com; Mitte: aprott – iStockphoto.com; Peter Scholz – shutterstock.com
S. 71	„Funsport – Surfen auf der künstlichen Welle" Lizenz durch www.zdf-archive.com / ZDF Enterprises GmbH – Alle Rechte vorbehalten.
S. 72	Dieter Mayr
S. 73	Dieter Mayr
S. 74	oben: Deutscher Volkshochschul-Verband e.V.; unten von rechts nach links: Hasloo Group Production Studio – shutterstock.com; shutterstock.com; BestPhotoStudio – shutterstock.com
S. 75	links: Robert Kneschke – shutterstock.com; rechts: Diego Cervo – Fotolia.com
S. 76	oben: Frank Preuss/Evonik; unten links: Firma V – Fotolia.com; unten rechts: Ysbrand Cosijn – shutterstock.com
S. 81	von oben nach unten: Yakobschuk Vasyl – shutterstock.com; JohnKwan – shutterstock.com; SusaZoom – shutterstock.com
S. 83	lightpoet – shutterstock.com

Bild- und Textnachweis

S. 84 Foto: Josef Fischnaller; Text (gekürzt und adaptiert): Claudia Haase interviewt Prof. Dr. Gerald Hüther: www.win-future.de

S. 86/87 „Hochbegabte Kinder" Lizenz durch www.zdf-archive.com / ZDF Enterprises GmbH – Alle Rechte vorbehalten.

S. 91 Georges DeKeerle – Getty Images

S. 92 WireImage, Anita Bugge – Getty Images

S. 94 Wilhelm Busch: Die Freunde. In: Ders.: Sämtliche Werke II. Hg. von Rolf Hochhuth. München: Bertelsmann Verlag 1982, S. 1062

S. 95 oben: vgstudio – shutterstock.com; Mitte: Konstantin Chagin – shutterstock.com; unten: Ian Walton – Getty Images Sport

S. 97 Mika Heittola – shutterstock.com

S. 104 Monkey Business Images – shutterstock.com

S. 105 Ant Clausen – shutterstock.com

S. 106 Foto: Andreas Rentz – Getty Images; Fragebogen: Heinrich Bauer CARAT KG / Wohnidee

S. 108 Malena und Philipp K – Fotolia.com

S. 111 S. Borisov – shutterstock.com

S. 117 A, C, D, E, F, G shutterstock.com; B Andrzej Tokarski – shutterstock.com; H motorolka – shutterstock.com

S. 118 1. stockcreations – shutterstock.com; 2., 3. shutterstock.com

S. 120 Monkey Business Images – shutterstock.com

S. 122 auremar – shutterstock.com

S. 125 Forsa, © Statista 2013

S. 126 links: vlavetal – shutterstock.com; rechts: Rido – shutterstock.com

S. 132 oben: Aaron Amat – shutterstock.com; unten: Zoia Kostina – shutterstock.com

S. 134 Pavel L Photo and Video – shutterstock.com

S. 135 v. links n. rechts: aida ricciardiello – shutterstock.com; erashov – shutterstock.com; z0w – shutterstock.com

S. 137 links: KKulikov – shutterstock.com; rechts: Vaidas Bucys – shutterstock.com

S. 138 oben: photothek.net; unten: carlos castilla – shutterstock.com

S. 140 Tito Wong – shutterstock.com

S. 145 auremar – shutterstock.com

S. 147 links: Rido – shutterstock.com; Mitte: Andrii Muzyka – shutterstock.com; rechts: photogl – shutterstock.com

S. 148 1. Hywit Dimyadi – shutterstock.com; 2. Volodymyr Krasyuk – shutterstock.com; 3. vetkit – shutterstock.com; 4. Gunnar Pippel – shutterstock.com; 5. grublee – shutterstock.com; 6. Tanchic – shutterstock.com; 7. Tomislav Pinter – shutterstock.com; 8. Voronin76 – shutterstock.com

S. 154 Syda Productions – shutterstock.com